MW00427417

Henri J. M. Nouwen

La voz interior del amor

*Un viaje a través de la angustia
hacia la liberación*

Editorial LUMEN
Viamonte 1674
(C1055ABF) Buenos Aires
☎ 4373-1414 (líneas rotativas) Fax (54-11) 4375-0453
E-mail: editorial@lumen.com.ar
República Argentina

Colección **Lumen Bolsillo**

Título original:
The Inner Voice of Love.
A Journey Through Anguish to Freedom.

©1996 by Henri J. M. Nouwen
Publicado por Doubleday, una división de
Bantam Doubleday Dell Publishing Group, Inc. 1540
Broadway, New York, New York 10036.

Traducción: Vanina Cúccaro
Tapa: Gustavo Macri

ISBN 950-724-948-6

Para Wendy y Jay Geer.

Índice

Agradecimientos

Connie Ellis fue la primera persona que tipeó el manuscrito de este libro, y Conrad Wieczorek fue la primera persona que lo editó. Ambos han fallecido. Los recuerdo con gran afecto y gratitud.

Kathy Christie, mi secretaria, y Susan Brown, mi editora, hicieron un gran trabajo para dejar este texto listo para ser publicado. Les agradezco a ambas su cuidadosa y competente labor.

Una palabra especial de gratitud va dirigida a mi amiga Wendy Geer, que durante los últimos tres años me alentó a superar mis dudas respecto *de la publicación de este libro y me dio muchas buenas ideas para hacer cambios y correcciones. El generoso apoyo financiero de Wendy y su marido, Jay, y sus numerosos amigos, fue una importante fuente de inspiración para mí.*

También quiero agradecer a Alice Allin y a Ed Goebels por ayudarme con todo el trabajo contractual necesario para esta edición.

Finalmente, muchas gracias a Bill Barry y a Trace Murphy, de Doubleday, por las visitas que me hicieron en la comunidad Daybreak (El Amanecer), por su continuo interés en mis escritos, y sobre todo en este libro, y por su flexibilidad y paciencia durante la preparación del manuscrito final.

Introducción

Este libro es mi diario secreto. Fue escrito durante el período más difícil de mi vida, que fue desde diciembre de 1987 hasta junio de 1988. Fue un período de extrema angustia, durante el cual me preguntaba si podría seguir soportando mi vida. Todo se estaba viniendo abajo: mi autoestima, mi energía para vivir y trabajar, mi sensación de ser amado, mi esperanza de sanación, mi fe en Dios... todo. Aquí estaba yo, un escritor de la vida espiritual, conocido como alguien que ama a Dios y le da esperanza a la gente, aplastado en el suelo y en una oscuridad total.

¿Qué había sucedido? Me había enfrentado a mi propia nada. Era como si todo lo que le había dado sentido a mi propia vida se apartara y no pudiera ver frente a mí nada más que un abismo sin fondo.

Lo extraño es que esto sucedió poco después de haber hallado mi verdadero hogar. Después de muchos años de vivir en universidades, donde nunca me sentí plenamente cómodo, me había transformado en un miembro de El Arca, una comunidad de hombres y mujeres con discapacidades mentales. Me habían recibido con los brazos abiertos, me habían brindado toda la atención y el afecto que podía esperar, y me habían ofrecido un lugar seguro y lleno de amor donde desarrollarme espiritual y emocionalmente. Todo parecía ideal. Pero, precisamente en ese momento, me aislé:

¡como si necesitara un lugar seguro donde tocar fondo!

Justo cuando todos los que me rodeaban me aseguraban que me amaban, se preocupaban por mí, me apreciaban, sí, hasta me admiraban, yo me sentía como una persona inútil, desagradable y despreciable. Justo cuando la gente me abrazaba, yo veía la profundidad sin fin de mi miseria humana y sentía que no había nada por lo que valiera la pena vivir. Justo cuando había encontrado un hogar, me sentía absolutamente sin techo. Justo cuando me elogiaban por mis numerosos discernimientos espirituales, me sentía falto de fe. Justo cuando la gente me agradecía por acercarla más a Dios, yo sentía que Dios me había abandonado. Era como si la casa que finalmente había encontrado no tuviera piso. La angustia me paralizaba por completo. Ya no podía dormir. Pasaba horas enteras gritando sin control. No me llegaban las palabras ni los argumentos de consuelo. Ya no tenía interés alguno en los problemas de los demás. Perdí todo deseo de alimentos y no podía apreciar la belleza de la música, del arte, ni siquiera de la naturaleza. Todo se había vuelto oscuridad. En mi interior había un gran grito que provenía de un lugar cuya existencia yo no conocía, un sitio lleno de demonios.

Todo esto fue disparado por la súbita interrupción de una amistad. Yendo a El Arca y viviendo con gente muy vulnerable, me había liberado gradualmente de muchas barreras internas y había abierto mi corazón más plenamente a los demás. Entre mis numerosos amigos, uno había llegado a conmoverme de un modo en que nadie lo había hecho nunca. Nuestra amistad me alentó a dejar que me amaran y se preocuparan por mí con más fe y confianza. Fue una experiencia totalmente nueva para mí, y me dio inmenso placer y paz. Parecía como si se hubiera abierto una puerta de mi vida interior, una puerta que había estado cerrada durante mi juventud y la mayor parte de mi vida adulta.

Pero esta amistad plenamente satisfactoria se transformó en el camino de mi angustia, pues pronto descubrí que el enorme espacio que se había abierto en mí no podía ser ocupado por aquel que lo había abierto. Me volví posesivo, necesitado y dependiente, y cuando la amistad, finalmente, debió interrumpirse, me aislé. Me sentía abandonado, rechazado y traicionado. De hecho, los extremos se tocaban.

Intelectualmente, sabía que ninguna amistad humana podría satisfacer las ansias más profundas de mi corazón. Sabía que sólo Dios podría darme lo que deseaba. Sabía que estaba en un camino en el cual nadie más que Jesús podría acompañarme. Pero todo este conocimiento no me ayudaba en mi dolor.

Me di cuenta bastante rápidamente de que sería imposible sobrevivir a esta angustia que me debilitaba mental y espiritualmente sin dejar mi comunidad y entregarme a gente que pudiera guiarme hacia una nueva liberación. A través de una gracia única, encontré el lugar y las personas que me brindaran la atención psicológica y espiritual que necesitaba. Durante los seis meses que siguieron, pasé por una agonía que parecía no terminar nunca. Pero los dos guías que me pusieron no me dejaron solo y siguieron acompañándome de un día al otro, sosteniéndome como padres que sostienen a un hijo herido.

Para mi sorpresa, nunca perdí la capacidad de escribir. De hecho, escribir se convirtió en parte de mi lucha por la supervivencia. Me daba la pequeña distancia de mí mismo que necesitaba para evitar ahogarme en mi desesperación. Casi todos los días, por lo general después de encontrarme con varios guías, escribía un "imperativo espiritual": una orden para mí mismo que hubiera surgido de nuestra sesión. Estos imperativos apuntaban a mi propio corazón. No estaban destinados a nadie más que a mí mismo.

En las primeras semanas, parecía que mi angustia simplemente empeoraba. Se abrían viejos centros de dolor que habían permanecido ocultos para mí, y aparecían en mi conciencia espantosas experiencias de mis primeros años. La interrupción de la amistad me obligó a penetrar en las bases de mi alma y a mirar directamente lo que allí se escondía, a elegir, ante todo, no la muerte sino la vida. Gracias a mis guías atentos y cuidadosos, pude dar, día tras día, pequeños pasos hacia la vida. Podía sencillamente haberme vuelto más amargo, resentido, deprimido y hasta suicida. El hecho de que eso no haya sucedido fue el resultado de la lucha expresada en este libro.

Cuando regresé a mi comunidad, no sin gran aprehensión, releí todo lo que había escrito durante mi período de "exilio". Parecía tan intenso y crudo que apenas podía imaginar que hablara de nadie más que de mí. A pesar de que Bill Barry, un amigo y editor de Doubleday, creía firmemente que mi lucha más personal podía ser de gran ayuda para mucha gente, yo estaba demasiado cerca de eso para entregarlo. En vez de eso, empecé a trabajar en un libro acerca de la pintura de Rembrandt (*El regreso del hijo pródigo*), allí encontré un lugar seguro para algunos de los discernimientos que obtuve de mis luchas.

Pero cuando, ocho años más tarde, impulsado por mi amiga Wendy Geer, volví a leer mi diario secreto, pude analizar retrospectivamente ese período de mi vida y verlo como un momento de intensa purificación que me había llevado, en forma gradual, a una liberación interior, a una nueva esperanza y a una nueva creatividad. Los "imperativos espirituales" que había anotado ahora parecían menos privados e, inclusive, de algún valor para otros. Wendy y otros amigos me alentaron a no ocultar esta experiencia dolorosa a quienes habían llegado a conocerme a través de mis libros sobre la vida espiritual. Me recordaron que los libros que había escrito a partir de mi período de angustia no podrían haber sido escritos sin la experiencia que había ganado al pasar por ese momento. Me preguntaban: "¿Por qué mantener esto lejos de quienes se nutrieron de tus discernimientos espirituales? ¿No es importante para tus amigos cercanos y lejanos conocer el alto costo de estos discernimientos? ¿No encontrarían en ello una fuente de consuelo, al ver que la luz y la oscuridad, la esperanza y la desesperación, el amor y el miedo, nunca están muy alejados el uno del otro, y que la liberación espiritual a menudo requiere de una feroz batalla espiritual?"

Finalmente, sus preguntas me convencieron de entregarle estas páginas a Bill Barry y ponerlas a disposición del público en este libro. Espero y ruego haber hecho lo correcto.

Una sugerencia al lector

*¡No leas demasiado de estos impe-
rativos espirituales de una vez! Fueron escritos durante un largo período,
y también requieren ser leídos de esa
manera. Además, no es necesario que
los leas en el orden en que aparecen.
El índice te da una idea de qué páginas podrían resultarte más útiles. Estos imperativos espirituales están
destinados a ser la sal de la carne de
tu vida. Demasiada sal podría arrui-
narla, ¡pero un poco por vez podría
hacerla apetitosa!*

LA VOZ INTERIOR
DEL AMOR

Teje alrededor de tu abismo

Hay un profundo agujero en tu ser, como un abismo. Nunca lograrás llenar ese agujero, porque tus necesidades son inagotables. Tienes que tejer alrededor de él, de manera que el abismo se cierre en forma gradual.

Como el agujero es tan enorme y tu angustia es tan profunda, siempre estarás tentado de huir de él. Hay dos extremos que evitar: estar completamente absorto en tu dolor y estar distraído por tantas cosas, que te mantengas alejado de la herida que quieres sanar.

Aférrate a la promesa

No le cuentes tu historia a todo el mundo. Sólo terminarás sintiéndote más rechazado. La gente no te puede dar lo que tu corazón anhela. Cuanto más esperas de la respuesta de la gente ante tu vivencia de abandono, más te sentirás expuesto al ridículo.

Tienes que cerrarte al mundo exterior de manera que puedas entrar a tu propio corazón y al de Dios a través de tu dolor. Dios te enviará las personas con quienes puedas compartir tu angustia, que puedan llevarte más cerca de la verdadera fuente del amor.

Dios es fiel a sus promesas. Antes de tu muerte, encontrarás la aceptación y el amor que imploras. No llegará del modo en que lo esperas. No seguirá tus necesidades y deseos. Pero llenará tu corazón y satisfará tu deseo más profundo. No hay nada más que esta promesa para agarrarse firmemente. Todo lo demás te lo han sacado. Aférrate con fe a esta promesa desnuda. Tu fe te sanará.

Deja de ser complaciente

Debes desprenderte de tu padre y de las figuras paternas. Tienes que dejar de verte a través de sus ojos y de intentar que estén orgullosos de ti.

Pues, tanto como puedes recordar, has sido complaciente, dependiendo de que los demás te dieran una identidad. Necesitas no ver eso sólo de modo negativo. Querías entregar tu corazón a los demás, y lo hiciste muy rápida y fácilmente. Pero ahora se te pide que te liberes de todos estos sostenes autofabricados y que confíes en que Dios es suficiente para ti. Debes dejar de ser complaciente y reclamar tu identidad como ser libre.

Confía en la voz interior

¿Verdaderamente quieres convertirte? ¿Estás dispuesto a transformarte? ¿O quieres seguir agarrándote de tus viejos estilos de vida con una mano mientras, con la otra, le pides a la gente que te ayude a cambiar?

La conversión no es, con seguridad, algo que puedas causarte a ti mismo. No es una cuestión de fuerza de voluntad. Debes confiar en la voz interior que indica el camino. *Conoces* esa voz interior. A menudo te vuelves hacia ella. Pero, después de haber escuchado con claridad lo que se te pide que hagas, comienzas a formular preguntas, a fabricar objeciones y a buscar la opinión de todos los demás. Así es que te embrollas en incontables pensamientos, sentimientos, e ideas a menudo contradictorios, y pierdes contacto con el Dios que hay en ti. Y terminas dependiendo de todas las personas que has reunido a tu alrededor.

Sólo atendiendo constantemente a la voz interior, puedes convertirte a una nueva vida de libertad y dicha.

Grita hacia adentro

En tu interior se ha producido una división entre la divinidad y la humanidad. Con tu centro dotado divinamente, conoces la voluntad de Dios, el camino de Dios, el amor de Dios. Pero tu humanidad está separada de esto. Tus numerosas necesidades humanas de afecto, atención y consuelo se conservan separadas de tu espacio sagrado y divino. Tu vocación es dejar que estas dos partes de ti mismo se vuelvan a unir.

Debes pasar gradualmente de gritar hacia afuera (convocando a las personas que crees que pueden satisfacer tus necesidades) a gritar hacia adentro, hacia el sitio en que puedes dejarte sostener y guiar por Dios, que se ha encarnado en la humanidad de aquellos que te aman en comunidad. Ninguna persona puede satisfacer todas tus necesidades. Pero la comunidad puede verdaderamente sostenerte. La comunidad puede dejarte experimentar el hecho de que, más allá de tu angustia, hay manos humanas que te sostienen y te muestran el amor leal de Dios.

Regresa siempre
al lugar firme

Debes creer en el sí que te devuelven cuando preguntas: "¿Me amas?" Debes *elegir* este sí, aun cuando no lo sientas.

Te sientes abrumado por distracciones, fantasías, el perturbador deseo de lanzarte al mundo del placer. Pero ya sabes que no encontrarás allí una respuesta a tu pregunta más profunda. La respuesta no pasa por repetir viejos eventos ni por la culpa ni la vergüenza. Todo eso te hace disiparte y abandonar la roca sobre la cual está edificada tu casa.

Debes confiar en el lugar que es firme, el sitio en que puedes decir sí al amor de Dios, aun cuando no lo sientas. Justamente ahora, no sientes nada más que el vacío y la falta de fuerza para elegir. Pero sigue diciendo: "Dios me ama, y el amor de Dios es suficiente." Tienes que elegir el lugar firme una y otra vez, y volver a él después de cada fracaso.

Fija los límites de tu amor

Cuando la gente te muestra sus límites ("No puedo hacer esto por ti"), te sientes rechazado. No aceptas el hecho de que los demás no puedan hacer por ti todo lo que esperas de ellos. Deseas un amor sin límites, un cuidado sin límites, una entrega sin límites.

Parte de tu lucha es fijar los límites de tu propio amor; algo que nunca has hecho. Das lo que la gente te pide, y cuando piden más, das más, hasta que te sientes exhausto, usado y manipulado. Sólo cuando puedas fijar tus propios límites, podrás reconocer, respetar y hasta estar agradecido a los límites de los demás.

En presencia de las personas que amas, tus necesidades aumentan y aumentan, hasta que ellas se sienten tan agobiadas por tus necesidades que prácticamente están obligadas a dejarte para sobrevivir.

La gran tarea es reclamarte a ti mismo para ti, de manera de poder contener tus necesidades dentro de los límites de tu propio ser y controlarlas en presencia de aquellos a quienes amas. La verdadera reciprocidad en el amor necesita de personas que se controlen y que se puedan entregar al otro sin dejar de seguir aferradas a sus propias identidades. Entonces, para entregarte más efectivamente y también para contener más las propias necesidades, debes aprender a fijar límites a tu verdadero amor.

Da en forma gratuita

Tu amor, en cuanto deriva de Dios, es permanente. Puedes reclamar la permanencia de tu amor como un regalo de Dios. Y puedes darles a otros ese amor permanente. Cuando los demás dejan de amarte, tú no tienes que dejar de amarlos. En un nivel humano, los cambios pueden ser necesarios pero, a nivel de lo divino, puedes seguir siendo fiel a tu amor.

Un día serás libre de dar amor gratuito, un amor que no pide nada a cambio. Un día incluso serás libre de recibir amor gratuito. A menudo se te ofrece amor, pero no lo reconoces. Lo descartas porque estás acostumbrado a recibirlo de la misma persona a quien se lo dabas.

La gran paradoja del amor es que, precisamente cuando te has proclama-

do como hijo amado de Dios, has fija-
do los límites de tu amor y así has contenido tus necesidades, comienzas a
crecer en la libertad de dar en forma
gratuita.

Vuelve a casa

Hay dos realidades a las que debes aferrarte. Primero, Dios ha prometido que recibirás el amor que has estado buscando. Y segundo, Dios es fiel a esa promesa.

Entonces, deja de dar vueltas. Mejor, vuelve a casa y confía en que Dios te traerá lo que necesitas. Toda tu vida has estado corriendo, buscando el amor que deseas. Ahora es tiempo de terminar con esa búsqueda. Confía en que Dios te dará ese amor plenamente satisfactorio, y te lo dará de una manera humana. Antes de que mueras, Dios te ofrecerá la satisfacción más profunda que puedas desear. Sólo deja de correr, y empieza a confiar y a recibir.

Tu casa es donde estás verdaderamente a salvo. Es donde puedes recibir lo que deseas. Necesitas manos humanas que te sostengan allí para que no vuelvas a escaparte. Pero, cuando vuelvas a casa y te quedes en ella, encontrarás el amor que traiga alivio a tu corazón.

Comprende
las limitaciones del otro

Sigues escuchando a aquellos que parecen rechazarte. Pero nunca hablan de *ti*. Hablan sobre sus propias limitaciones. Confiesan su pobreza frente a tus necesidades y deseos. Simplemente demandan tu compasión. No dicen que seas malo, desagradable o desdeñable. Solamente dicen que estás pidiendo algo que no pueden dar y que necesitan tomar cierta distancia de ti para sobrevivir emocionalmente. Lo triste es que percibes su necesidad de alejarse como un rechazo hacia ti, en lugar de como una demanda de volver a casa y descubrir allí que verdaderamente mereces ser amado.

Confía en el lugar
de la unidad

Se te convoca a vivir en un nuevo
lugar, más allá de tus emociones, pasiones y sentimientos. Mientras vivas
en medio de tus emociones, pasiones
y sentimientos, seguirás sintiendo soledad, celos, ira, resentimiento y hasta
furia, porque ésas son las respuestas
más obvias al rechazo y al abandono.

Debes confiar en que hay otro lugar, hacia el cual quieren conducirte
tus guías espirituales, y donde puedes
estar a salvo. Tal vez esté mal pensar
en este nuevo lugar como *más allá* de
las emociones, las pasiones y los sentimientos. *Más allá* puede sugerir que
estos sentimientos humanos están ausentes allí. En lugar de ello, trata de
pensar en este lugar como el centro de

tu ser: tu corazón, donde todos los sentimientos humanos son en verdad mantenidos juntos. A partir de este lugar, puedes sentir, pensar y actuar en forma auténtica.

Es bastante comprensible que este lugar te dé miedo. Tienes muy poco conocimiento de él. Has tenido vislumbres de él, incluso algunas veces has estado en él, pero la mayor parte de tu vida has habitado entre tus emociones, pasiones y sentimientos, y has buscado en ellos la paz interior y la dicha.

Además, no has reconocido plenamente este nuevo lugar como el lugar donde Dios habita y te sostiene. Temes que este lugar plenamente auténtico sea, de hecho, un pozo sin fondo en el que perderás todo lo que tienes y eres. No tengas miedo. Confía en que el Dios de la vida quiere abrazarte y darte verdadera seguridad.

Podrías considerarlo el lugar de la unificación, en el cual puedes volverte uno. Justamente ahora, experimentas una dualidad interior: tus emociones, pasiones y sentimientos parecen separados de tu corazón. Las necesidades de tu cuerpo parecen separadas de tu ser más profundo. Tus pensamientos y sueños parecen separados de tus anhelos espirituales.

Estás llamado a la unidad. Ésa es la buena nueva de la Encarnación. La Palabra se vuelve carne y, así, se crea un nuevo lugar en que pueden habitar todo lo tuyo y todo lo de Dios. Cuando hayas encontrado esa unidad, serás verdaderamente libre.

Manténte atento
a tus mejores intuiciones

Estás atravesando un período poco común. Ves que se te convoca a ir hacia la soledad, la oración, el ocultamiento, y una gran simplicidad. Ves que, por el momento, debes ser limitado en tus movimientos, escaso en tus llamadas telefónicas y cuidadoso en la escritura de cartas.

También sabes que la satisfacción de tu ardiente deseo de amistades íntimas, ministerio compartido y trabajo creativo no te traerá lo que verdaderamente quieres. Es una nueva experiencia para ti sentir tanto tu deseo como su irrealidad. Sientes que sólo el amor de Dios puede satisfacer tu más profunda necesidad, mientras la tendencia hacia el resto de las personas y las cosas permanezca fuerte. Parece que la paz y la angustia existen lado a lado en ti, que deseas tanto la distracción como la devota concentración.

Confía en la claridad con que ves lo que tienes que hacer. La idea de que podrías tener que vivir alejado de amigos, de ocupaciones laborales, de periódicos y libros interesantes ya no te asusta. Ya no despierta ansiedad lo que los demás vayan a pensar, decir o hacer. Incluso la idea de que pronto puedas ser olvidado o pierdas las conexiones con el mundo no te perturba.

Rezar se te hace bastante fácil. ¡Qué gracia! La gente que te rodea va al teatro, a clases de ballet, o a cenas, y tú no te sientes rechazado ni abandonado cuando no te invitan a acompañarlos. De hecho, estás muy contento de estar solo en tu habitación. No es difícil hablarle a Jesús y escucharlo hablarte. Estás tomando conciencia de cuán cerca de ti está Jesús. Te mantiene a salvo en su amor. A veces, los recuerdos de acontecimientos pasados y las fantasías acerca del futuro atraviesan tu corazón, pero estos incidentes dolorosos se han vuelto menos amenazantes, menos devastadores, menos paralizantes. Casi parece que fueran recordatorios necesarios de tu necesidad de estar cerca (muy cerca) de Jesús.

Sabes que algo totalmente nuevo, verdaderamente único, está sucediendo dentro de ti. Está claro que algo está muriendo en ti y algo está naciendo. Debes permanecer atento, tranquilo y obediente a tus mejores intuiciones. Sigue preguntándote: "¿Qué pasa con las cosas que hice y dije en el pasado? ¿Qué hay de mis numerosas opciones en el futuro?" De repente, te das cuenta de que estas preguntas ya no tienen sentido. En la nueva vida a la que estás ingresando, ya no surgirán. Los decorados del escenario que por tanto tiempo configuraron el fondo de tus pensamientos, palabras y acciones están siendo retirados lentamente, y sabes que no volverán.

Sientes una extraña tristeza. Emerge una enorme soledad, pero no estás asustado. Te sientes vulnerable pero a salvo al mismo tiempo. Jesús está donde estás tú, y puedes confiar en que te indicará el próximo paso.

Haz que tu cuerpo te vuelva a pertenecer

Nunca te has sentido completamente a salvo en tu cuerpo. Pero Dios quiere amarte en todo lo que eres: espíritu y cuerpo. Cada vez más, has llegado a ver a tu cuerpo como un enemigo que hay que conquistar. Pero Dios quiere que seas amigable con tu cuerpo, de manera que pueda estar preparado para la resurrección. Cuando no eres totalmente dueño de tu cuerpo, no puedes reclamarle una vida eterna.

Entonces, ¿cómo hacer que tu cuerpo vuelva a pertenecerte? Dejándolo participar en tu deseo más profundo de recibir y ofrecer amor. Tu cuerpo necesita ser sostenido y sostener, ser tocado y tocar. Ninguna de estas necesidades es para desdeñar, negar ni reprimir. Pero tienes que seguir buscando tu necesidad corporal más profunda, la necesidad de amor genuino. Cada vez que puedes ir más allá de los deseos corporales superficiales de amor, estás haciendo que tu cuerpo te vuelva a pertenecer y te estás acercando a la integración y a la unidad.

En Jesús, Dios se hizo cargo de la carne humana. El Espíritu de Dios cubrió a María, y en ella toda enemistad entre el espíritu y el cuerpo fue superada. Así, el Espíritu de Dios se unió al espíritu del hombre, y el cuerpo humano se transformó en el templo destinado a elevarse hacia la intimidad de Dios a través de la resurrección. A todo cuerpo humano se le ha dado una nueva esperanza, la de pertenecer eternamente al Dios que lo creó. Gracias a la Encarnación, puedes hacer que tu cuerpo te vuelva a pertenecer.

Entra en un nuevo país

Tienes una idea de qué apariencia tiene el nuevo país. Aun así, estás demasiado cómodo, si bien no verdaderamente en paz, en el viejo país. Conoces las maneras del viejo país, sus dichas y dolores, sus momentos alegres y tristes. Has pasado allí la mayor parte de tus días. Aun cuando sepas que no has encontrado allí lo que tu corazón más desea, sigues bastante aferrado a él. Se ha vuelto parte de tus mismos huesos.

Ahora has llegado a darte cuenta de que debes dejarlo para ingresar a un nuevo país, donde habita tu Amado. Sabes que lo que te ayudaba y te guiaba en el viejo país ya no funciona, pero ¿qué otra cosa tienes para guiarte? Se te pide que confíes en que encontrarás en el nuevo país lo que necesitas. Eso requiere la muerte de lo que se ha vuelto tan preciado para ti: la influencia, el éxito, sí, incluso el afecto y el orgullo.

Confiar es muy difícil, porque no tienes a qué recurrir. Aun así, la confianza es lo esencial. El nuevo país es adonde se te convoca a ir, y la única forma en que puedes ir es desnudo y vulnerable.

Parece que estuvieras permanentemente cruzando y volviendo a cruzar la frontera. Por un momento, experimentas una dicha verdadera en el nuevo país. Pero después te asustas y empiezas a ansiar nuevamente todo lo que dejaste atrás; entonces, vuelves al viejo país. Para tu consternación, descubres que el viejo país ha perdido su atractivo. Arriesga unos pasos más en el nuevo país, confiando en que, cada vez que entres en él, te sentirás más cómodo y podrás quedarte más.

Sigue viviendo donde está Dios

Cuando experimentas una gran necesidad de afecto humano, debes preguntarte si las circunstancias que te rodean y las personas con quienes estás son aquellas con quienes verdaderamente Dios quiere que estés. Sea lo que sea lo que estés haciendo (mirando una película, escribiendo un libro, haciendo una presentación, comiendo o durmiendo), tienes que estar en la presencia de Dios. Si sientes una gran soledad y un gran deseo de contacto humano, tienes que ser extremadamente juicioso. Pregúntate si esta situación está verdaderamente dada por Dios. Porque, donde Dios quiera que estés, Él te mantiene a salvo y te da paz, aun cuando haya dolor.

Vivir una vida disciplinada es vivir de manera tal que sólo quieras estar allí donde Dios esté contigo. Cuanto más profundamente vivas tu vida espiritual, más fácil será discernir la diferencia entre vivir con Dios y vivir sin Dios, y más fácil será alejarse de los lugares en los que Dios ya no esté contigo.

El gran desafío es aquí la lealtad que hay que vivir en las opciones de cada momento. Cuando comer, beber, trabajar, hablar o escribir no son para gloria de Dios, debes dejar de hacerlo inmediatamente porque, cuando dejas de vivir para la gloria de Dios, empiezas a vivir para tu propia gloria. Entonces, te separas de Dios y te haces daño.

Tu pregunta fundamental siempre debería ser si algo es vivido con o sin Dios. Tienes tu propio conocimiento interior para responder esa pregunta.

Cada vez que haces algo que proviene de tus necesidades de aceptación, reconocimiento o afecto, y cada vez que haces algo que aumenta estas necesidades, sabes que no estás con Dios. Estas necesidades nunca serán satisfechas; sólo se incrementarán cuando cedas a ellas. Pero, cada vez que hagas algo para la gloria de Dios, reconocerás la paz de Dios en tu corazón, y allí encontrarás reposo.

Confía
en tus guías espirituales

No es nada fácil seguir viviendo donde está Dios. Por esa razón, Dios te da personas que te ayudan a mantenerte en ese lugar y te convocan a Él cada vez que estés desorientado. Tus guías espirituales permanentemente te recuerdan dónde se cumple tu deseo más profundo. Sabes dónde es, pero desconfías de tu propio conocimiento.

Entonces, confía en tus guías espirituales. Pueden, en ocasiones, ser rigurosos o exigentes, o parecer poco realistas, como si no estuvieran considerando todas tus necesidades. Pero, cuando pierdes tu confianza en ellos, eres más vulnerable. Tan pronto como empiezas a decirte: "Mis guías se están aburriendo conmigo; están hablando de mí sin dejarme participar en sus conversaciones; me tratan como a un paciente a quien no hay que contarle todo acerca de su estado", estás más susceptible a los ataques de afuera.

No dejes que nada se interponga entre tú y tus guías espirituales. Cuando te sientas tentado de desconfiar de ellos, permíteles saberlo de inmediato, de manera que puedan evitar que tus imaginaciones te alejen de ellos, restauren tu confianza en ellos y reafirmen su compromiso contigo.

Accede al lugar de tu dolor

Debes superar tu dolor en forma gradual y así quitarle el poder que tiene sobre ti. Sí, debes acceder al lugar de tu dolor, pero sólo cuando hayas obtenido nuevas bases. Cuando accedes a tu dolor sólo para sentirlo en su crudeza, puede alejarte del sitio al cual quieres ir.

¿Qué es tu dolor? Es la experiencia de no recibir lo que más necesitas. Es un lugar de vacío en el cual sientes profundamente la ausencia del amor que más deseas. Volver a ese lugar es difícil, porque allí te enfrentas con tus heridas y, al mismo tiempo, con tu impotencia para curarte. Te asusta tanto ese lugar que lo concibes como un lugar de muerte. Tu instinto de supervivencia te hace salir corriendo y buscar otra cosa que te dé una sensación de comodidad, aun cuando sepas perfectamente bien que no la puedes encontrar afuera, en el mundo.

Debes empezar a confiar en que tu experiencia de vacío no es la última experiencia, en que más allá de ella hay un lugar en el cual te sostienes en el amor. Mientras no confíes en ese lugar más allá de tu vacío, no podrás reingresar a salvo en el lugar del dolor.

Entonces, debes acceder al lugar de tu dolor sabiendo en tu corazón que ya has encontrado el nuevo lugar. Ya has probado algunas de sus frutas. Cuantas más raíces tengas en el nuevo lugar, más capaz serás de hacer el duelo por la pérdida del viejo lugar y de liberarte del dolor que allí yace. No puedes hacer el duelo por algo que no ha muerto. Aun así, los antiguos dolores, apegos y deseos, que una vez signifi-

caron tanto para ti, tienen que ser se-
pultados.

Debes llorar sobre tus dolores per-
didos para que, de a poco, puedan dejarte, y tú puedas estar libre para vivir
plenamente en el nuevo lugar sin me-
lancolía ni nostalgia.

Ábrete al primer amor

Has estado hablando mucho acerca
de dar muerte a los viejos apegos para
ingresar a un nuevo lugar, donde Dios
te espera. Pero es posible terminar con
muchos noes: no a tu antigua manera
de pensar y de sentir, no a las cosas
que hiciste en el pasado y, sobre todo,
no a las relaciones humanas que alguna vez fueron preciadas y vivificadoras. Estás dando una batalla espiritual
llena de noes y llegas a la desesperación cuando descubres lo difícil que
parece, si no imposible, desconectarte
del pasado.

El amor que te llega a ti en particular, las amistades humanas concretas y
que despertaron tu adormecido deseo
de ser completa e incondicionalmente
amado, eran reales y auténticas. No

hay que negarlas como peligrosas e idolátricas. El amor que te llega a través de los seres humanos es genuino, es un amor dado por Dios, y necesita ser celebrado como tal. Cuando las amistades humanas demuestran ser invivibles porque exiges que tus amigos te quieran de maneras que están más allá de la capacidad humana, no tienes que negar la realidad del amor que recibiste. Cuando intentas dar muerte a ese amor, a fin de encontrar el amor de Dios, estás haciendo algo que Dios no quiere. La solución no es dar muerte a las relaciones vivificadoras, sino darse cuenta de que el amor que en ellas recibiste forma parte de un amor más grande.

Dios te ha dado una hermosa identidad. Allí Dios reside y te ama con ese primer amor que precede a todo amor humano. Llevas tu propia identidad, profundamente amada, en tu corazón. Puedes y debes aferrarte a la autenticidad del amor que te fue dado y reconocer ese mismo amor en los otros que ven tu bondad y te aman.

Entonces, deja de intentar dar muerte al verdadero amor particular que has recibido. Muéstrate agradecido por él y considéralo como lo que te permitió abrirte al primer amor de Dios.

Reconoce tu impotencia

Hay lugares en los cuales eres completamente impotente. Por más que quieras sanarte, luchar con tus tentaciones y mantener el control, no puedes hacerlo solo. Cada vez que lo intentas, quedas más desalentado. Entonces, debes reconocer tu impotencia. Éste es el primer paso en Alcohólicos Anónimos y en el tratamiento de todas las adicciones. Tú también podrías pensar así tu lucha. Tu inagotable necesidad de afecto es una adicción: controla tu vida y te transforma en una víctima.

Simplemente, comienza por admitir que no puedes curarte solo. Tienes que afirmar por completo tu impotencia para permitir que Dios te sane. Pero, en verdad, no es una cuestión de *ahora* y *después.* Tu predisposición a sentir tu impotencia ya implica el comienzo de la entrega a la acción de Dios en ti. Cuando no puedes experimentar en ti nada de la presencia sanadora de Dios, el reconocimiento de tu impotencia resulta demasiado amenazante. Es como saltar desde una cuerda alta sin una red que te reciba.

Tu predisposición a liberarte de tu deseo de controlar tu vida revela una cierta confianza. Cuanto más renuncies a tu obstinada necesidad de conservar el poder, más te contactarás con Aquel que tiene el poder de sanarte y guiarte. Y, cuanto más te contactes con ese poder divino, más fácil será confesarte a ti mismo y a los demás tu impotencia fundamental.

Una manera en que sigues aferrándote a un poder imaginario es esperar algo de las gratificaciones exteriores o de los eventos futuros. Mientras te escapes del lugar en que estás y te distraigas, no podrás dejarte sanar por completo. Una semilla sólo fructifica si permanece en la tierra en que fue sembrada. Mientras estés permanentemente desenterrándola para ver si está creciendo, nunca dará frutos. Piensa en ti como en una pequeña semilla plantada en un suelo rico. Todo lo que tienes que hacer es quedarte allí y confiar en que el suelo contiene todo lo que necesitas para crecer. Este crecimiento tiene lugar aunque no lo sientas. Tranquilízate, reconoce tu impotencia, y confía en que un día sabrás cuánto has recibido.

Busca una nueva espiritualidad

Estás empezando a darte cuenta de que tu cuerpo te es dado para reafirmar tu personalidad. Muchos escritores de espiritualidad hablan del cuerpo como algo en lo que no se puede confiar. Esto podría ser verdad si tu cuerpo no hubiera llegado a pertenecerte. Pero, una vez que hiciste que tu cuerpo llegara a pertenecerte, una vez que es parte integrante de tu personalidad, puedes confiar en él y escuchar su lenguaje.

Cuando sientas curiosidad por las vidas de las gentes con las que estás o lleno de deseos de poseerlas de una manera u otra, tu cuerpo aún no te pertenecerá del todo. Una vez que has llegado a vivir en tu cuerpo como una verdadera expresión de quien eres, tu curiosidad se desvanecerá y te presentarás a los demás libre de la necesidad de saber o de poseer.

Una nueva espiritualidad está naciendo en ti. Ni un cuerpo represor ni un cuerpo permisivo, sino verdaderamente encarnacional. Tienes que confiar en que esta espiritualidad pueda encontrar forma dentro de ti, y en que pueda articularse a través de ti. Descubrirás que muchas otras espiritualidades que has admirado y has tratado de practicar ya no coinciden por completo con tu única vocación. Empezarás a percibir cuando las experiencias e ideas de las otras personas ya no se adapten exactamente a las tuyas. Debes empezar a confiar en tu única vocación y a dejar que se arraigue y se fortalezca en ti para que pueda florecer en tu comunidad.

Al hacer que tu cuerpo llegue a pertenecerte, serás más capaz de comprender con todo tu ser el valor de las experiencias espirituales de los demás y su conceptualización. Serás capaz de entenderlos y de apreciarlos sin desear imitarlos. Tendrás más confianza en ti y más libertad para reclamar tu lugar único en la vida como un don que Dios te dio. No habrá necesidad de comparaciones. Recorrerás tu propio camino, no aislado sino con la conciencia de que no debe preocuparte si los demás están o no satisfechos.

Fíjate en Rembrandt y Van Gogh. Confiaron en sus vocaciones y no dejaron que nadie los desviara de ese camino. Con verdadera obstinación holandesa, siguieron sus vocaciones desde el momento en que las reconocieron. No retrocedieron para satisfacer a sus amigos o enemigos. Ambos terminaron sus vidas en la pobreza, pero ambos dejaron a la humanidad legados capaces de sanar mentes y corazones de muchas generaciones. Piensa en estos dos hombres y confía en tener también una vocación única que vale la pena reclamar y vivir lealmente.

Cuenta tu historia en libertad

Los años que han quedado tras de ti, con todas sus luchas y sus dolores, serán recordados, en su momento, sólo como el camino que te guió hacia tu nueva vida. Pero, mientras la nueva vida no sea completamente tuya, tus recuerdos seguirán causándote dolor. Cuando revives eventos dolorosos del pasado, te puedes sentir victimizado por ellos. Pero hay un modo de contar tu historia que no produce dolor. Entonces, también, la necesidad de contar tu historia se tornará menos oprimente. Descubrirás que ya no estás allí: el pasado se ha ido, el dolor te ha dejado, ya no tienes que volver y revivirlo, ya no dependes de tu pasado para identificarte.

Hay dos modos de contar tu historia. Uno es contarla compulsiva y urgentemente, para seguir retornando a ella porque consideras tu presente sufrimiento como el resultado de tus experiencias pasadas. Pero hay otro modo. Puedes contar tu historia desde el lugar en que ya no te domina. Puedes hablar de ella con cierta distancia y verla como el camino para tu presente libertad. La compulsión a contar tu historia se ha ido. Desde la perspectiva de la vida que vives ahora y la distancia que ahora tienes, tu pasado no te amenaza. Ha perdido su peso y puede ser recordado como la manera en que Dios te torna más compasivo y comprensivo hacia los demás.

Encuentra el origen
de tu soledad

Cada vez que te sientas solo, debes tratar de encontrar el origen de este sentimiento. Estás inclinado a escapar de tu soledad, o bien, a habitar en ella. Cuando escapas de ella, tu soledad no disminuye realmente; simplemente, la obligas a salir de tu mente temporalmente. Cuando empiezas a habitar en ella, tus sensaciones sólo se refuerzan y caes en la depresión.

La tarea espiritual no es escapar de tu soledad, ni dejarte ahogar en ella, sino descubrir su origen. No es sencillo hacerlo, pero cuando, de alguna manera, puedas identificar el lugar del cual emergen estas sensaciones, perderán parte de su poder sobre ti. Esta identificación no es una tarea intelectual; es una tarea del corazón. Con el corazón, debes buscar sin temor ese lugar.

Ésta es una búsqueda importante, porque te lleva a discernir algo bueno acerca de ti mismo. El dolor de tu soledad puede estar arraigado en tu vocación más profunda. Puedes descubrir que tu soledad está ligada a tu vocación de vivir completamente para Dios. Así, tu soledad se te puede revelar como el otro costado de tu don único. Una vez que puedes experimentar en tu ser más íntimo la verdad de esto, puedes encontrar soledad no sólo tolerable sino también provechosa. Lo que en principio parecía doloroso se puede convertir después en una sensación que, aunque dolorosa, abra para ti el camino hacia un conocimiento aun más profundo del amor de Dios.

Sigue volviendo
al camino de la libertad

Cuando de repente parezca que pierdes todo lo que creías haber ganado, no desesperes. Tu sanación no es un proceso lineal. Tienes que esperar demoras y regresiones. No te digas: "Todo está perdido; tengo que empezar todo de nuevo." No es verdad. Lo que ganaste, lo ganaste.

A veces se amontonan pequeñas cosas y, por un momento, te hacen perder pie. El cansancio, un comentario aparentemente frío, la incapacidad de alguien para escucharte, el olvido inocente de alguien, que se asemeja al rechazo; cuando todas estas cosas se juntan, te pueden hacer sentir como si estuvieras nuevamente donde comenzaste. Pero trata de pensar en ello, en lugar de apartarte del camino por un momento. Cuando retornas al camino, retornas al punto en que lo dejaste, no al punto en el que comenzaste.

Es importante no habitar en los pequeños momentos en los que te sientes apartado de tu progreso. Trata de volver a casa, al lugar firme dentro de ti, de inmediato. Si no, estos momentos empiezan a conectarse con otros similares, y juntos adquieren el poder suficiente para apartarte del camino. Intenta mantenerte alerta a las aparentemente inocuas distracciones. Es más fácil retornar al camino cuando estás en el borde del mismo, que cuando te sales de él y estás en un húmedo pantano al costado.

En síntesis, sigue confiando en que Dios está dentro de ti, en que Dios te ha dado compañeros para el viaje. Sigue volviendo al camino de la libertad.

Deja que Jesús te transforme

Estás buscando formas de encontrar a Jesús. Estás tratando de encontrarlo no sólo en tu mente sino también en tu cuerpo. Buscas su afecto, y sabes que este afecto involucra tanto a su Cuerpo como al tuyo. Se hizo carne por ti para que pudieras encontrarlo en la carne y recibir su amor en la carne.

Pero algo queda en ti que impide este encuentro. Hay aún mucha vergüenza y culpa estancadas en tu cuerpo, bloqueando la presencia de Jesús. No te sientes del todo cómodo en tu cuerpo; lo devalúas, como si no fuera lo suficientemente bueno, lo suficientemente bello, o lo suficientemente puro como para encontrar a Jesús.

Cuando analices atentamente tu vida, verás cuán llena estuvo de miedos, en especial miedos de las personas que ocupan lugares de autoridad: tus padres, tus maestros, tus obispos, tus guías espirituales, inclusive tus amigos. Nunca te sentiste a su altura; siempre te consideraste por debajo de ellos. Durante gran parte de tu vida, te sentiste como si necesitaras su autorización para ser tú mismo.

Piensa en Jesús. Él era completamente libre ante las autoridades de su época. Le decía a la gente que no se dejara guiar por las conductas de los escribas y los fariseos. Jesús apareció entre nosotros como un igual, un hermano. Quebró las estructuras piramidales de la relación entre Dios y la gente, además de las relaciones entre las personas, y ofreció un nuevo modelo: el círculo, en el cual Dios vive solidariamente con la gente, y las personas conviven unas con otras.

No podrás encontrar a Jesús en tu cuerpo mientras éste siga lleno de dudas y temores. Jesús vino a liberarte de estas ataduras y a crear en ti un espacio en el cual puedas estar con Él. Quiere que vivas la libertad de los hijos de Dios.

No desesperes pensando que no puedes modificarte después de tantos años. Simplemente, entra en la presencia de Jesús tal como eres, y pídele que te dé un corazón valiente en el cual pueda estar contigo. *Tú* no puedes modificarte. *Jesús* vino para darte un nuevo corazón, un nuevo espíritu, una nueva mentalidad, un nuevo cuerpo. Deja que te transforme a través de su amor y, así, te posibilite recibir su afecto en todo tu ser.

Protege tus emociones

Puede ser desalentador descubrir lo rápidamente que pierdes tu espacio interior. Alguien que ingresa en tu vida puede crear de repente desasosiego y ansiedad en ti. A veces, esta sensación ya está allí antes de que la descubras plenamente. Pensabas que eras centrado; pensabas que podías confiar en ti; pensabas que podías estar con Dios. Pero, entonces, alguien que ni siquiera conoces íntimamente te hace sentir inseguro. Te preguntas si te aman o no, y el extraño se convierte en la norma. Así, empiezas a sentirte desilusionado por tu propia reacción.

No te flageles por tu falta de progreso espiritual. Si lo haces, fácilmente te alejarás más y más de tu centro. Te dañarás y harás más difícil el retorno. Evidentemente, es bueno no actuar a partir de emociones repentinas. Pero tampoco tienes que reprimirlas. Puedes reconocerlas y dejarlas pasar. En un cierto sentido, debes protegerlas para que no te transformen en su víctima.

El camino hacia la "victoria" no pasa por superar tus emociones desalentadoras en forma directa, sino por la construcción de un sentido más profundo de seguridad y comodidad y un conocimiento más encarnado de que se te ama profundamente. Entonces, poco a poco, dejarás de darles tanto poder a los extraños.

No te desalientes. Asegúrate de que Dios satisfará plenamente todas tus necesidades. Sigue recordando eso. Te ayudará no esperar la satisfacción de las personas que ya sabes incapaces de dártela.

Sigue tu vocación
más profunda

Cuando descubres en ti algo que es un don de Dios, debes reclamarlo y no dejar que te lo saquen. A veces, a gente que no conoce tu corazón, se le pasará totalmente por alto la importancia de algo que forma parte de tu identidad más profunda, valiosa tanto ante tus ojos como ante los de Dios. Tal vez no te conozcan lo suficiente como para poder responder a tus necesidades genuinas. Entonces debes hablarle a tu corazón y seguir tu vocación más profunda.

Hay una parte de ti que se entrega con demasiada facilidad a la influencia ajena. Tan pronto como alguien cuestiona tus motivos, comienzas a dudar de ti mismo. Terminas coincidiendo con el otro antes de haber consultado a tu propio corazón. Así, te vuelves pasivo y simplemente asumes que el otro sabe más.

Aquí debes prestar mucha atención a tu yo interior. "Volver a casa" y "ser devuelto a ti mismo" son expresiones que indican que tienes un fundamento interior sólido desde el cual puedes hablar y actuar (sin apologías) humilde pero convincentemente.

Permanece anclado
en tu comunidad

Cuando tu vocación de ser un sanador compasivo se combina con tu necesidad de ser aceptado, las personas a quienes quieres sanar terminarán arrastrándote a su mundo y quitándote tu don sanador. Pero cuando, por el temor de transformarte en una persona que sufre, dejas de acercarte a estas personas, no puedes alcanzarlas y devolverles la salud. Sientes profundamente la soledad, la alienación y la pobreza espiritual de tus contemporáneos. Quieres ofrecerles una respuesta verdaderamente curativa que proviene de tu fe en el Evangelio. Pero, a menudo, te has vuelto aficionado a la curiosidad y a la necesidad de afecto, y así has perdido la capacidad de llevar la buena noticia a quienes se te han vuelto tan íntimos.

Es importante permanecer tan en contacto como sea posible con quienes te conocen, te aman y protegen tu vocación. Si visitas a personas con grandes necesidades y profundas batallas que puedes reconocer fácilmente dentro de tu propio corazón, permanece anclado en tu comunidad. Piensa en tu comunidad como si sostuviera una larga línea que rodea tu cintura. Dondequiera que estés, ella sostiene esa línea. Así podrás estar cerca de las personas que requieren de tu sanación, sin perder contacto con quienes protegen tu vocación. Tu comunidad puede hacerte volver cuando sus miembros ven que estás olvidando por qué se te envió.

Cuando sientes una creciente necesidad de simpatía, apoyo, afecto y cuidado de parte de aquellos hacia quienes eres enviado, recuerda que hay un lugar en el que puedes recibir esos dones de una manera segura y responsable. No te dejes seducir por las fuerzas oscuras que aprisionan a quienes quieres liberar. Sigue volviendo a aquellos a quienes perteneces y que te sostienen en la luz. Es esa luz que anhelas traer a la oscuridad. No debes asustar a nadie mientras sigas anclado a salvo en tu comunidad. Entonces, puedes llevar la luz lejos.

Quédate con tu dolor

Cuando experimentas el profundo dolor de la soledad, es comprensible que tus pensamientos se dirijan a la persona que pudo quitarte esa soledad, aunque fuera por un momento. Cuando, debajo de todas las alabanzas y ovaciones, sientes una enorme ausencia que hace que todo parezca inútil, tu corazón sólo quiere una cosa: estar con la persona que alguna vez pudo disipar estas emociones amenazantes. Pero es la ausencia misma, el vacío que hay dentro de ti, lo que debes estar dispuesto a experimentar, y no a quien pudo arrancarte esa sensación temporalmente.

No es fácil quedarte con tu soledad. La tentación es o bien alimentar tu dolor, o bien refugiarse en fantasías sobre personas que te lo arrancarán. Pero, cuando puedes reconocer tu soledad en un lugar seguro y contenido, pones tu dolor a disposición de la sanación de Dios.

Dios no quiere tu soledad; quiere tocarte de manera de satisfacer en forma permanente tu necesidad más profunda. Es importante que te atrevas a quedarte con tu dolor y a permitirle estar allí. Debes admitir tu soledad y confiar en que no siempre estará allí. El dolor que padeces ahora tiene por objeto ponerte en contacto con el sitio en que más necesitas la sanación: tu corazón mismo. La persona que pudo tocar ese sitio se te ha revelado como tu perla de gran valor.

Es comprensible que todo lo que hiciste, lo que estás haciendo y lo que planeas hacer parezca no tener ningún sentido en comparación con esta perla. Esta perla es la sensación de ser plenamente amado. Cuando experimentas una profunda soledad, estás dispuesto a abandonar todo a cambio de la sanación. Pero ningún ser humano puede sanar ese dolor. Sin embargo, te enviarán personas para transmitir la sanación de Dios, personas que podrán ofrecerte el profundo sentido de pertenencia que anhelas y que da sentido a todo lo que haces.

Atrévete a quedarte con tu dolor y confía en la promesa que Dios te ha hecho.

Vive pacientemente
con el "no todavía"

Una parte de ti ha quedado atrás muy temprano en tu vida: la parte que nunca se sintió plenamente admitida. Está llena de temores. Mientras tanto, te desarrollaste con muchas habilidades de supervivencia. Pero quieres que tu identidad sea una. Entonces, tienes que recuperar la parte que ha quedado atrás. Eso no es sencillo, pues te has transformado en una persona bastante formidable, y tu parte temerosa no sabe si puede vivir a salvo contigo. Tu parte madura tiene que volverse infantil (acogedora, amable y protectora) para que tu parte ansiosa pueda retornar y sentirse segura.

Te quejas de que es difícil para ti rezar, experimentar el amor de Jesús.

Pero Jesús reside en tu parte temerosa, nunca totalmente admitida. Cuando proteges tu verdadera parte y descubres que es buena y hermosa, ves que Jesús está allí. Allí donde eres más humano, más tú mismo, más débil, allí reside Jesús. Recuperar tu parte temerosa es recuperar a Jesús.

Mientras tu parte vulnerable no se siente bienvenida por ti, se mantiene tan distante que no te puede mostrar su verdadera belleza y sabiduría. Así sobrevives sin vivir realmente.

Trata de mantener tu parte pequeña y temerosa cerca de ti. Esto será una dura lucha, pues tendrás que vivir un tiempo con el "no todavía". Tu parte más profunda y auténtica no ha sido aún recuperada; se asusta rápidamente. Como tu parte íntima no se siente a salvo contigo, sigue buscando a otros, especialmente a quienes te ofrecen algún consuelo real, aunque temporal.

Pero, cuando te vuelvas más infantil, ya no sentirás la necesidad de vivir en otra parte. Comenzará a buscarte *a ti* como hogar.

Ten paciencia. Cuando te sientas solo, quédate con tu soledad. Evita la tentación de dejar escapar tu parte temerosa. Deja que te muestre su sabiduría; deja que te indique que puedes vivir en lugar de limitarte a sobrevivir. Gradualmente, te unificarás y descubrirás que Jesús vive en tu corazón y te ofrece todo lo que necesitas.

Sigue avanzando
hacia la plena encarnación

No dejes de lado lo que ya has conseguido. Has dado pasos importantes hacia la liberación que buscas. Has decidido dedicarte por completo a Dios, hacer de Jesús el centro de tu vida y moldearte como un instrumento de la gracia divina. Sí, aún sientes tu división interior, tu necesidad de aprobación y aplauso. Pero ves que has hecho importantes elecciones que muestran adónde quieres ir.

Puedes ver tu vida como un gran cono que se angosta a medida que llegas más adentro. Hay muchas puertas en ese cono que te dan oportunidades de abandonar el viaje. Pero has venido cerrando esas puertas una tras otra, yendo más y más adentro, hacia el centro. Sabes que Jesús te espera al final del camino, así como sabes que Él te guía a medida que avanzas en esa dirección. Cada vez que cierras otra puerta (sea la puerta de la satisfacción inmediata, la puerta del entretenimiento distractivo, la puerta del negocio, la puerta de la culpa y de la preocupación o la puerta del autorrechazo), te comprometes a llegar más adentro de tu corazón y, por lo tanto, más adentro del corazón de Dios.

Éste es un movimiento hacia la plena encarnación. Te lleva a transformarte en lo que ya eres: un hijo de Dios. Te lleva a corporizar más y más la verdad de tu ser. Te hace reclamar al Dios que hay dentro de ti. Estás tentado de pensar que no eres nadie en la vida espiritual y que tus amigos están mucho más adelante en esta travesía. Pero es un error.

Debes confiar en la profundidad de la presencia de Dios en ti y vivir a partir de allí. Ésta es la manera de seguir avanzando hacia la plena encarnación.

Obsérvate en forma auténtica

Sigue luchando para descubrir tu propia verdad. Cuando la gente que conoce tu corazón y te quiere amorosamente dice que eres un hijo de Dios, que Dios ha llegado a lo profundo de tu ser y que estás ofreciéndoles a los demás mucho de Dios, oyes esos comentarios sólo como palabras estimulantes. No piensas que esta gente cree verdaderamente lo que dice.

Tienes que empezar a verte como te ven tus verdaderos amigos. Mientras sigas ciego para tu propia verdad, te sigues devaluando y continúas pensando en los demás como personas mejores, más santas y más amadas de lo que eres tú. Sobreestimas a todo aquel en quien ves bondad, belleza y amor, porque no ves en ti mismo ninguna de estas cualidades. Como resultado de ello, empiezas a apoyarte en los demás, sin darte cuenta de que tienes todo lo que necesitas para erguirte sobre tus propios pies.

De todas maneras, no puedes forzar las cosas. No puedes *hacerte* ver lo que ven los demás. No puedes exigirte del todo cuando tus partes están aún descarriadas. Debes reconocer dónde estás y asegurar ese lugar. Debes estar dispuesto a vivir tu soledad, tu incompletud, tu falta de encarnación total sin miedo, y confiar en que Dios te dará gente que siga indicándote la verdad de quién eres.

Recibe todo el amor que llegue a ti

Al mismo tiempo que te puedes sentir física y mentalmente fuerte, sentirás una corriente submarina de angustia. Duermes bien, trabajas bien, pero hay algunos momentos de vigilia en los cuales no sientes ese dolor palpitante en tu corazón que hace que todo parezca estar en el aire. Sabes que estás progresando, pero no puedes entender por qué esta angustia sigue invadiendo en todo lo que piensas, dices o haces. Hay aún un dolor profundo e irresuelto, pero no te lo puedes quitar de encima. Existe mucho más allá de tu alcance.

Ten paciencia y fe. Tienes que avanzar gradualmente más adentro de tu corazón. Hay un sitio mucho más adentro que es como un río turbulento, y ese lugar te da miedo. Pero no temas. Un día será tranquilo y pacífico.

Debes seguir avanzando, tal como lo estás haciendo. Vive una vida fiel y disciplinada, una vida que te dé una sensación de fuerza interior, una vida en la que puedas recibir más y más del amor que te llegue. Dondequiera que haya auténtico amor para ti, tómalo y fortalécete con él. A medida que tu cuerpo, tu corazón y tu mente tengan conocimiento de que eres amado, tu parte más débil se sentirá atraída hacia ese amor. Lo que ha quedado separado e inalcanzable se dejará llevar hacia el amor que pudiste recibir. Un día descubrirás que tu angustia se ha ido. Te dejará porque tu parte más débil se dejó abrazar por tu amor.

Todavía no estás allí, pero avanzas rápidamente. Habrá un poco más de lucha y dolor. Tienes que animarte a pasar por eso. Sigue caminando hacia adelante. Reconoce tu angustia, pero no dejes que te aleje de ti mismo. Aférrate al rumbo que elegiste, a tu disciplina, a tu oración, a tu trabajo, a tus guías, y confía en que un día el amor habrá conquistado lo suficiente de ti como para que hasta la parte más temerosa permita al amor expulsar todo temor.

Sigue unido al cuerpo
más grande

Tu propio crecimiento no puede tener lugar sin el crecimiento de los demás. Eres parte de un cuerpo. Cuando
cambias, el cuerpo todo cambia. Es
muy importante para ti seguir profundamente conectado con la gran comunidad a la cual perteneces.

También es importante que aquellos que pertenecen al cuerpo del cual
formas parte conserven la fe en tu viaje. Aún tienes un lugar adonde ir, y habrá momentos en que tus amigos se
sorprendan o incluso se desilusionen
por lo que te sucede. En ciertas ocasiones, las cosas pueden parecerte
más difíciles de lo que eran antes;
puedes verlas peor que cuando empe-
zaste. Aún tienes que dar el gran paso,

y eso no puede suceder sin mucho nuevo estrés y miedo. A través de todo esto, es importante para ti mantenerte unido al cuerpo más grande y saber que tu viaje está hecho no sólo para ti sino para todos los que pertenecen al cuerpo.

Piensa en Jesús. Él hizo su travesía y les pidió a los discípulos que lo siguieran incluso adonde preferirían no ir. La travesía que estás eligiendo es la de Jesús y, seas o no plenamente consciente de ello, también les estás pidiendo a tus hermanos y hermanas que te sigan. En algún punto, ya sabes que lo que estás viviendo en este momento no dejará intactos a los otros miembros de la comunidad. Tus opciones también reclaman que tus amigos hagan nuevas elecciones.

Ama profundamente

No vaciles en amar, y amar profundamente. Puedes tener miedo del dolor que puede provocar el amor profundo. Cuando aquellos a quienes amas profundamente te rechazan, te dejan o mueren, tu corazón se quiebra. Pero eso no debería impedirte amar profundamente. El dolor que proviene del amor profundo hace tu amor aun más provechoso. Es como un arado que rompe la tierra para permitir a la semilla echar raíces y crecer hasta convertirse en una planta fuerte. Cada vez que sientes el dolor del rechazo, de la ausencia o de la muerte, enfrentas una decisión. Te puedes volver amargo y decidir no volver a amar, o te puedes poner de pie en tu dolor y dejar que el suelo sobre el cual estás se enriquezca y pueda dar vida a nuevas semillas.

Cuanto más hayas amado y más te hayas permitido sufrir a raíz de tu amor, más podrás dejar que tu corazón se amplíe y se profundice. Cuando tu amor está dando y recibiendo verdaderamente, aquellos a quienes amas no abandonarán tu corazón, aunque te dejen. Se volverán parte de tu identidad y así, en forma gradual, edificarán en ti una comunidad.

Aquellos a quienes has amado profundamente se vuelven parte de ti. Cuanto más tiempo vives, siempre habrá más gente para amar y para volverse parte de tu comunidad interior. Cuanto más amplia se vuelva tu comunidad interior, más fácil será reconocer a tus hermanos y hermanas en los extraños que te rodean. Quienes están vivos en tu interior reconocerán a quienes están vivos a tu alrededor.

Cuanto más amplia sea la comunidad dentro de tu corazón, más amplia será la comunidad a tu alrededor. Así, el dolor del rechazo, la ausencia o la muerte se pueden volver útiles. Sí, si amas profundamente, el piso de tu corazón se abrirá más y más, pero tú te regocijarás en la abundancia de los frutos que dé.

Manténte de pie en tu pena

La pregunta es: "¿Puedes mantenerte de pie en tu soledad, tus temores y tu sensación de ser rechazado?" El peligro es que estos sentimientos te arrebaten. Estarán aquí durante mucho tiempo y te seguirá tentando ahogarte en ellos. Pero se te pide que los reconozcas y los registres, mientras sigues en pie.

Recuerda: María estaba de pie bajo la cruz. Sufría su pena de pie. Recuerda: Jesús hablaba de los desastres cósmicos y de la gloriosa aparición del Hijo del Hombre y les decía a sus discípulos: "Cuando empiecen a suceder estas cosas, cobrad ánimo y levantad la cabeza porque se acerca vuestra liberación" (Lc 21, 28). Recuerda: Pedro y Juan curaron al hombre lisiado que estaba pidiendo en la entrada del templo. Pedro le dijo: "En nombre de Jesucristo, el Nazoreo, ponte a andar" (Hch 3, 6). Después, lo tomó por la mano derecha y lo ayudó a ponerse de pie.

Tienes que atreverte a mantenerte de pie durante tus luchas. La tentación es quejarse, rogar, estar agobiado y encontrar satisfacción en la pena que evocas. Pero ya sabes que lo que tu corazón más anhela no es tu beneficio. Mientras te mantengas de pie, podrás hablarles libremente a los demás, alcanzarlos y recibir algo de ellos. Así, hablarás y actuarás desde tu propio centro e invitarás a los demás a hablar y actuar desde sus propios centros. Así se posibilitan verdaderas amistades y se puede constituir una auténtica comunidad. Dios te da la fuerza para estar de pie durante tus luchas y para responder a ellas de pie.

Deja que lo profundo se comunique con lo profundo

Cuando "amas" a alguien, o "pierdes" a alguien, experimentas un dolor interior. Poco a poco, debes descubrir la naturaleza de este dolor. Cuando tu ser más profundo se conecta con el ser más profundo del otro, la ausencia de esa persona puede resultar dolorosa, pero te llevará a una profunda comunión con la persona, pues amarse los unos a los otros es amarse en Dios. Cuando el lugar que Dios ocupa en ti está íntimamente conectado con el lugar que Dios ocupa en el otro, la ausencia de la otra persona no es destructiva. Al contrario, te desafía a entrar en una comunión más profunda con Dios, fuente de toda unidad y comunión entre las personas.

También es posible, por otro lado, que el dolor de la ausencia te demuestre que no estás en contacto con tu propio ser más profundo. Necesitas al otro para experimentar la completud interior, para tener una sensación de bienestar. Te has vuelto emocionalmente dependiente del otro y te hundes en la depresión a raíz de su ausencia. Sientes como si el otro se hubiera llevado un pedazo de ti sin el cual no puedes vivir. Entonces, el dolor de la ausencia revela cierta falta de confianza en el amor de Dios. Pero Dios es suficiente para ti.

El verdadero amor entre dos seres humanos te pone más en contacto con tu ser más profundo. Es un amor *en* Dios. Entonces, el dolor que experimentas por la muerte o la ausencia de la persona que amas, siempre te convoca a un conocimiento más profundo del amor de Dios. El amor de Dios es todo el amor que necesitas y te revela el amor de Dios en el otro. Entonces, el Dios en ti se puede comunicar con el Dios en el otro. Esto es, lo profundo entra en comunicación con lo profundo, una reciprocidad en el corazón de Dios, que abarca a ambos.

La muerte o la ausencia no agota ni disminuye el amor de Dios que te llevó hacia la otra persona. Te exige dar un nuevo paso hacia el misterio del amor inagotable de Dios. Este proceso es doloroso, muy doloroso, porque la otra persona se ha transformado en una verdadera revelación del amor de Dios para ti. Pero, cuanto más despojado estás del apoyo de la gente dado por Dios, más exigido estás a amar a Dios por Dios. Éste es un amor pasmoso y terrible, pero es el amor que ofrece vida eterna.

Permítete
ser plenamente recibido

Entregarte a los demás sin esperar nada a cambio sólo es posible cuando has sido plenamente recibido. Cada vez que descubres que esperas algo a cambio de lo que has dado o te desilusionas cuando no se te retribuye nada, vas tomando conciencia de que aún no has sido plenamente recibido. Únicamente cuando te sabes incondicionalmente amado (es decir, plenamente recibido) por Dios, puedes dar en forma gratuita. Dar sin esperar nada a cambio es confiar en que todas tus necesidades serán cubiertas por Aquel que te ama incondicionalmente. Es confiar en que no necesitas proteger tu propia seguridad, sino que puedes entregarte completamente al servicio de los demás.

La fe es, precisamente, confiar en que tú, que das en forma gratuita, recibirás en forma gratuita, pero no necesariamente de la persona a quien te entregaste. El riesgo radica en que te entregues a los demás con la ilusión de que *ellos* te recibirán plenamente. Pronto te sentirás como si los demás se estuvieran alejando con partes tuyas. No puedes entregarte a los demás si no eres dueño de ti mismo, y sólo puedes ser verdaderamente dueño de ti mismo cuando se te ha recibido plenamente en un amor incondicional.

Gran parte del dar y recibir tiene una característica violenta, porque quienes dan y quienes reciben actúan más desde la necesidad que desde la confianza. Lo que parece generosidad es en realidad manipulación, y lo que parece amor es en verdad un grito en busca de afecto o apoyo. Cuando te sepas plenamente amado, podrás dar de acuerdo con la capacidad de recibir del otro, y podrás recibir de acuerdo con la capacidad de dar del otro. Estarás agradecido por lo que se te dé, sin aferrarte a ello, y dichoso por lo que puedas dar, sin jactarte de ello. Serás una persona libre, libre para amar.

Exige que tu presencia sea única en tu comunidad

Tu presencia única en tu comunidad es el modo en que Dios quiere que te presentes ante los demás. Diversas personas tienen formas diferentes de estar presentes. Tú debes conocer y defender tu forma. Por eso es tan importante el discernimiento. Una vez que tienes un conocimiento interior de tu verdadera vocación, tienes un punto de orientación. Eso te ayudará a decidir qué hacer y de qué liberarte, qué decir y sobre qué temas callar, cuándo salir y cuándo quedarte en casa, con quién estar y a quién evitar.

Cuando te sientes exhausto, frustrado, agobiado o desgastado, tu cuerpo está diciendo que estás haciendo cosas que no te corresponden. Dios no te exige que hagas aquello que va más allá de tu capacidad, aquello te aleja de Dios, o aquello que te deprime o te entristece. Dios quiere que vivas para los demás y que vivas bien esa presencia. Hacerlo puede implicar sufrimiento, fatiga e incluso momentos de gran dolor físico o emocional, pero nada de esto debe nunca alejarte de tu ser más profundo ni de Dios.

Aún no has encontrado del todo tu lugar en tu comunidad. Tu forma de hacerte presente ante tu comunidad puede requerir momentos de ausencia, oración, escritura o aislamiento. Éstos también son momentos destinados a tu comunidad: te permiten estar profundamente presente ante tu pueblo y pronunciar palabras que proceden del Dios que hay en ti. Cuando ofrecer a tu pueblo una visión que lo alimente y le permita seguir avanzando es parte de tu vocación, es crucial que te des el tiempo y el espacio que necesites para que esta visión madure dentro de ti y se transforme en una parte integral de tu ser.

Tu comunidad te necesita pero, tal vez, no como una presencia constante. Tu comunidad te puede necesitar como una presencia que brinda coraje y alimento espiritual para el viaje, una presencia que da lugar a un fundamento firme en el cual los demás puedan crecer y desarrollarse, una presencia que pertenece a la matriz de la comunidad. Pero tu comunidad también necesita de tu creativa ausencia.

Tal vez precises ciertas cosas que la comunidad no puede ofrecerte. Por esas cosas, quizás tengas que ir a otro lado de vez en cuando. Eso no significa que seas egoísta, anormal o que no te adaptes a la vida comunitaria. Significa que tu forma de estar presente ante tu pueblo requiere un alimento personal de un tipo especial. No temas pedir esas cosas. Hacerlo te permite ser leal a tu vocación y sentirte a salvo. Es un servicio destinado a aquellos para quienes aspiras a ser una fuente de esperanza y una presencia vivificadora.

Acepta tu identidad
como hijo de Dios

Tu verdadera identidad es ser hijo de Dios. Ésta es la identidad que debes aceptar. Una vez que la has sostenido y te has instalado en ella, puedes vivir en un mundo que te da tantas alegrías como dolores. Puedes recibir los elogios y también la culpa que te llega como una oportunidad de fortalecer tu identidad básica, porque la identidad que te libera está anclada más allá de todo elogio y culpa humana. Perteneces a Dios, y como hijo de Dios se te ha enviado al mundo.

Necesitas guía espiritual. Necesitas personas que puedan mantenerte anclado en tu verdadera identidad. La tentación de desconectarte de ese punto profundo de tu interior en el cual

Dios reside, y de dejarte ahogar en los elogios o en la culpa del mundo, siempre se conserva.

Como ese punto profundo dentro de ti en el cual se arraiga tu identidad como hijo de Dios te ha sido desconocido durante tanto tiempo, quienes pudieron conmoverte en ese punto tuvieron un repentino y, a menudo, agobiante poder sobre ti. Se volvieron parte de tu identidad. Ya no podías vivir sin ellos. Pero ellos no podían desempeñar ese *rol* divino, así que te dejaron, y te sentiste abandonado. Pero es precisamente esa experiencia de abandono la que te devuelve a tu verdadera identidad como hijo de Dios.

Únicamente Dios puede habitar por completo ese punto más profundo en tu interior y darte una sensación de seguridad. Pero sigue existiendo el peligro de que dejes que otras personas te arrebaten tu centro sagrado, arrastrándote así hacia la angustia.

Puede requerir mucho tiempo y disciplina volver a contactar plenamente tu ser profundo, escondido, con tu ser público, que es conocido, amado y aceptado, pero también criticado por el mundo. Gradualmente, sin embargo, te irás sintiendo más conectado y te transformarás más plenamente en quien realmente eres: un hijo de Dios. Ahí reside tu verdadera libertad.

Sé dueño de tu dolor

Te preguntas si es bueno compartir tus esfuerzos con los demás, especialmente con quienes estás llamado a atender. Se te hace difícil no mencionar tus propios dolores y penas ante aquellos a quienes estás tratando de ayudar. Sientes que lo que pertenece al corazón de tu humanidad no tendría que ocultarse; quieres ser un compañero de viaje y no un guía distante.

La pregunta fundamental es: "¿Eres dueño de tu dolor?" Mientras no seas dueño de tu dolor (es decir, mientras no integres tu dolor a tu manera de estar en el mundo), existe el peligro de que uses al otro para buscar la sanación para ti mismo. Cuando les hablas a los demás del dolor sin ser del todo dueño de él, esperas de ellos algo que no pueden dar. Como resultado de ello, te sentirás frustrado, y aquellos a quienes querías ayudar se sentirán confundidos, desilusionados o, inclusive, más sobrecargados.

Pero, cuando eres del todo dueño de tu dolor y no esperas de aquellos a quienes atiendes que lo alivien, puedes hablar de él con verdadera libertad. Entonces, compartir tus esfuerzos se puede transformar en un servicio; entonces, tu apertura puede ofrecer a los demás coraje y esperanza.

Para que puedas compartir tus esfuerzos como un servicio, también es esencial que tengas a quiénes recurrir con tus propias necesidades. Siempre precisarás gente confiable ante la cual puedas desplegar tu corazón. Siempre necesitarás gente que no te necesite, sino que pueda recibirte y hacerte volver a ti mismo. Siempre necesitarás gente que pueda ayudarte a ser dueño de tu dolor y a afirmar tus esfuerzos.

Así, la pregunta central de tu misión es: "¿Está el compartir mis esfuerzos al servicio de quien busca mi ayuda?" Esta pregunta únicamente se puede responder en forma afirmativa cuando uno verdaderamente es dueño de su dolor y no espera nada de aquellos que buscan su ayuda.

Sábete
verdaderamente amado

Algunos han tenido vidas tan opri-
midas que sus verdaderas identidades
se les han vuelto totalmente inalcan-
zables. Necesitan ayuda para quebrar
esa opresión. Su poder para liberarse
debe ser al menos tan fuerte como el
poder que los reprime. A veces, necesitan autorización para explotar: dejar
salir sus emociones más profundas y
liberarse de las fuerzas exteriores.
Gritar, dar alaridos, llorar, y hasta la
lucha física pueden ser expresiones de
liberación.

Tú, sin embargo, no pareces necesitar de una explosión tal. Para ti, el
problema no es *sacar* algo de tu siste-
ma, sino *incorporar* algo que profundice y fortalezca tu sentido de la

bondad, y que permita que tu angustia sea abrazada por el amor.

Descubrirás que, cuanto más amor puedas incorporar y sostener, menos temeroso te volverás. Hablarás de manera más simple, más directa y más libre sobre lo que es importante para ti, sin temer las reacciones de los demás. Además, usarás menos palabras, confiando en que lograrás comunicar tu verdadera identidad aun cuando no hables demasiado.

Los discípulos de Jesús tenían una sensación real de su amorosa presencia cuando salían a predicar. Lo habían visto, habían comido con Él y habían hablado con Él después de su Resurrección. Habían llegado a vivir una profunda relación con Él y habían sacado de esa relación la fuerza para hablar claro en forma directa y simple, sin temor de ser malinterpretados ni rechazados.

Cuanto más llegas a conocerte (espíritu, mente y cuerpo) como verdaderamente amado, más libre serás para proclamar las buenas nuevas. Ésa es la liberación de los hijos de Dios.

Protege tu inocencia

Ser un hijo de Dios no te deja libre de tentaciones. Puedes tener momentos en los que te sientas tan bendito, tan *en* Dios, tan amado, que te olvidas de que aún vives en un mundo de poderes y principados. Pero tu inocencia como hijo de Dios necesita que se la potestades. Si no, se te arrancará de tu verdadera identidad y experimentarás la fuerza devastadora de la oscuridad que te rodea.

Este arrebato puede aparecer como una gran sorpresa. Antes de ser plenamente consciente de ello o de haber tenido una oportunidad de consentir en ello, te puedes ver agobiado por la lujuria, la ira, el resentimiento o la codicia. Un cuadro, una persona o un gesto pueden disparar estas emociones destructivas y poderosas, y seducir a tu inocente ser.

Como hijo de Dios, necesitas ser prudente. No puedes caminar sencillamente por el mundo como si nada ni nadie pudiera hacerte daño. Estás extremadamente vulnerable. Las mismas pasiones que te hacen amar a Dios pueden ser utilizadas por los poderes del mal.

Los hijos de Dios necesitan apoyarse, protegerse y sostenerse los unos a los otros cerca del corazón de Dios. Perteneces a una minoría dentro de un mundo grande y hostil. A medida que tomes más conciencia de tu verdadera identidad como hijo de Dios, también verás más claramente muchas fuerzas que tratan de convencerte de que todas las cosas espirituales son falsos sustitutos de las cosas reales de la vida.

Cuando se te arrebata temporalmente tu verdadera identidad, puedes tener la repentina sensación de que Dios no es más que una palabra, la oración una fantasía, la santidad un sueño, y la vida eterna un medio de escape de la verdadera vida. Así fue tentado Jesús, y también nosotros.

No confíes en tus pensamientos y sentimientos cuando se te arrebata de ti mismo. Retorna pronto a tu verdadero lugar y no le prestes atención a aquello que te engañó. En forma gradual, llegarás a estar más preparado para enfrentar estas tentaciones, y cada vez tendrán menos poder sobre ti. Protege tu inocencia aferrándote a la verdad: eres un hijo de Dios y eres profundamente amado.

Deja que tu león descanse junto a tu cordero

Hay adentro de ti un cordero y un león. La madurez espiritual es la capacidad para dejar que el cordero y el león descansen juntos. Tu león es tu parte adulta y agresiva. Es la parte que toma la iniciativa y que toma decisiones. Pero hay también un cordero temeroso y vulnerable, la parte de ti que necesita afecto, apoyo, confirmación y alimento.

Cuando sólo prestas atención a tu león, te sientes sobredimensionado y exhausto. Cuando únicamente tienes conocimiento de tu cordero, te transformas con facilidad en víctima de tu necesidad de la atención de los demás. El arte de la vida espiritual es defender plenamente tanto a tu león como a tu cordero. Entonces, puedes actuar afirmativamente sin negar tus propias necesidades. Y puedes demandar afecto y cuidado sin traicionar tu talento para ofrecer liderazgo.

Desarrollar tu identidad como hijo de Dios no significa de ninguna manera abandonar tus responsabilidades. Asimismo, defender tu parte adulta de ninguna manera significa que no puedas transformarte cada vez más en hijo de Dios. De hecho, en verdad es al revés. Cuanto más seguro puedas sentirte como hijo de Dios, más libre serás para defender tu misión en el mundo como un ser humano responsable. Y, cuanto más afirmes que tienes una tarea única que desempeñar para Dios, más abierto estarás para dejar satisfacer tu necesidad más profunda.

El reinado de la paz que Jesús vino a establecer comienza cuando tu león y tu cordero pueden descansar juntos libremente y sin temor.

Sé un verdadero amigo

La amistad ha sido para ti fuente de gran dolor. La deseaste tanto que a menudo te perdiste en la búsqueda de un verdadero amigo. Muchas veces te desesperaste al no concretarse una amistad que esperabas, o al no perdurar una amistad que comenzó con grandes expectativas.

Muchas de tus amistades surgieron a partir de tu necesidad de afecto, reafirmación y apoyo emocional. Pero ahora tienes que buscar amigos con los que puedas relacionarte desde tu centro, desde el lugar en que sabes que eres profundamente amado. Cuando te reconoces profundamente amado, la amistad se torna cada vez más posible. Entonces, puedes estar con otros de un modo no posesivo.

Los verdaderos amigos descubren sus correspondencias interiores donde ambos conocen el amor de Dios. Allí, se comunican de espíritu a espíritu, de corazón a corazón.

Los verdaderos amigos son duraderos porque el verdadero amor es eterno. Una amistad en la cual hay comunicación de corazón a corazón es un regalo de Dios, y ningún regalo que venga de Dios es ocasional o temporal. Todo lo que proviene de Dios participa de la vida eterna de Dios. El amor entre las personas, cuando está dado por Dios, es más fuerte que la muerte. En este sentido, la verdadera amistad perdura más allá del límite de la muerte. Cuando has amado profundamente, ese amor puede adquirir incluso más fuerza después de muerta la persona amada. Éste es el mensaje fundamental de Jesús.

Cuando Jesús murió, la amistad de los discípulos con Él no disminuyó; por el contrario, aumentó. El envío del Espíritu tiene que ver con esto. El Espíritu de Jesús tornó la amistad de Jesús con sus discípulos eterna, más fuerte y más íntima que antes de su muerte. Esto es lo que sentía Pablo cuando dijo: "Y no vivo yo, sino que es Cristo quien vive en mí" (Ga 2, 20).

Tienes que confiar en que una auténtica amistad no tiene fin, en que existe una comunión de santos entre todos aquellos, estén vivos o muertos, que han amado en verdad a Dios y se han amado los unos a los otros. Sabes por experiencia cuán cierto es esto. Aquellos a quienes has amado profundamente y han muerto viven en ti, no sólo como recuerdos, sino como presencias reales.

Atrévete a amar y a ser un verdadero amigo. El amor que das y recibes es una realidad que te llevará más y más cerca de Dios, así como de aquellos que Dios te ha dado para amar.

Confía en tus amigos

Sigues buscando pruebas de amistad, pero al hacerlo te haces daño. Cuando les des algo a tus amigos, no te quedes esperando una respuesta concreta, un agradecimiento. Cuando realmente crees que Dios te ama, puedes darles a tus amigos la libertad de responder a tu amor a *su* manera. Tienen sus propias historias, sus propios caracteres, sus propias maneras de recibir amor. Pueden ser más lentos, más inseguros o más cautos que tú. Pueden querer estar contigo en formas que son auténticas y reales para ellos, pero poco comunes para ti. Confía en que quienes te aman quieren demostrarte su amor de una manera real, a pesar de que sus preferencias de momentos, lugares y formas sean diferentes de las tuyas.

Gran parte de tu capacidad para confiar en tus amigos depende de tu propia bondad. Cuando hagas un regalo en forma gratuita y espontánea, no te preocupes por los motivos. No digas para ti: "Tal vez hice este regalo para obtener algo a cambio. Tal vez hice este regalo para forzar a mi amigo a un acercamiento que no quiere." Confía en tus intuiciones.

Dales a tus amigos la libertad de responder como quieran y puedan. Deja que su modo de recibir sea tan libre como tu modo de dar. Entonces, te volverás capaz de sentir verdadera gratitud.

Controla tu propio
puente levadizo

Debes decidir por ti mismo a quién y en qué momento le das acceso a tu vida interior. Durante años, has permitido a los demás entrar y salir de tu vida de acuerdo con *sus* necesidades y deseos. Así, dejaste de ser amo en tu propia casa y te sentiste cada vez más usado. Entonces, también, pronto quedaste cansado, molesto, enojado y resentido.

Piensa en un castillo medieval rodeado de un foso. El puente levadizo es el único acceso al interior del castillo. El señor del castillo debe tener la facultad de decidir cuándo levantar el puente y cuándo dejarlo caer. Sin esta facultad, puede ser víctima de enemigos, extranjeros y vagabundos; nunca estará tranquilo en su propio castillo.

Es importante para ti controlar tu propio puente levadizo. Debe haber ocasiones en que dejes el puente levantado y tengas la oportunidad de estar a solas o únicamente con quienes sientas como allegados. Nunca te dejes convertir en propiedad pública, donde cualquiera pueda entrar y salir a voluntad. Podrías pensar que estás siendo generoso al dar acceso a quien quiera entrar y salir, pero pronto habrás perdido el alma.

Cuando reclames para ti el poder sobre tu puente levadizo, descubrirás nueva dicha y paz en tu corazón, y te descubrirás capaz de compartir la dicha y la paz con los demás.

Evita toda forma
de autorrechazo

Debes evitar no sólo culpar a los demás sino también culparte a ti mismo. Tienes una tendencia a culparte por las dificultades que experimentas en las relaciones. Pero echarse la culpa no es una forma de humildad; es una forma de autorrechazo en la cual ignoras o niegas tu propia bondad y belleza.

Cuando una amistad no florece, cuando una palabra no es recibida, cuando un gesto de amor no es valorado, no te culpes por ello. Es doloroso y además no es cierto. Cada vez que te denigras, idealizas a los demás. Quieres estar con aquellos que consideras mejores, más fuertes, más inteligentes y mejor dotados que tú. Así es como te vuelves emocionalmente dependiente, llevando a los demás a sentirse incapaces de cumplir con tus expectativas y haciendo que se alejen de ti. Esto te hace culparte aun más, y entras en una peligrosa espiral de autorrechazo y necesidad.

Evita toda forma de autorrechazo. Reconoce tus limitaciones, pero reclama tus dones únicos y, por lo tanto, vive como un igual entre iguales. Eso te liberará de tus necesidades obsesivas y posesivas, y te hará capaz de dar y recibir afecto y amistad genuinos.

Asume tu cruz

Tu dolor es profundo, y no se irá así no más. Además es singularmente tuyo, pues está ligado a algunas de tus experiencias vitales más tempranas.

Tu vocación es hacer que ese dolor vuelva a pertenecerte. Mientras esa parte herida se mantenga ajena a tu parte adulta, tu dolor te lastimará como el de los demás. Sí: tienes que incorporar tu dolor a tu ser y dejar que dé sus frutos en tu corazón y en el corazón de los demás.

Esto es lo que Jesús quiere decir cuando te pide que asumas tu cruz. Te alienta a reconocer y a abrazar tu singular sufrimiento, y a confiar en que tu camino a la salvación está allí. Asumir tu cruz significa, antes que nada, proteger tus heridas y dejar que te revelen tu propia verdad.

Hay mucho dolor y sufrimiento en el mundo. Pero el dolor más difícil de soportar es el propio. Una vez que has asumido esa cruz, podrás ver claramente las cruces que deben cargar los demás, y podrás revelarles sus propios caminos hacia la dicha, la paz y la libertad.

Sigue confiando
en el llamado de Dios

Cuando llegues a darte cuenta de que Dios te está atrayendo hacia un mayor anonimato, no tengas miedo de esa invitación. Con el correr de los años, has permitido que las voces que te convocan a la acción y a una gran visibilidad controlen tu vida. Todavía piensas (aun en contra de tus mejores intuiciones) que necesitas hacer cosas y ser visto para seguir tu vocación. Pero ahora estás descubriendo que la voz de Dios dice: "Quédate en casa, y confía en que tu vida sea provechosa aunque quede oculta."

No será fácil escuchar el llamado de Dios. Tu inseguridad, tus propias dudas y tu gran necesidad de afirmación te hacen perder confianza en tu voz interior y escaparte de ti mismo. Pero sabes que Dios te habla a través de tu voz interior y que hallarás dicha y paz únicamente si la sigues. Sí, tu espíritu está dispuesto a seguirla, pero la carne es débil.

Tienes amigos que saben que tu voz interior dice la verdad y que pueden confirmar lo que dice. Te ofrecen el lugar seguro en el cual puedes dejar que esa voz hable más claro y fuerte. Habrá quienes te dirán que estás perdiendo el tiempo y desperdiciando tu talento, que estás escapando de la verdadera responsabilidad, que no logras utilizar el poder de influencia que tienes. Pero no te dejes engañar. No hablan en nombre de Dios. Confía en los pocos que conocen tu travesía interior y quieren mantenerte leales a ella: te ayudarán a mantenerte leal al llamado de Dios.

Defiende la victoria

Aún tienes miedo de morir. Ese temor está relacionado con el temor de no ser amado. Tu pregunta "¿Me amas?" y tu pregunta "¿Tengo que morir?" están íntimamente conectadas. Hacías estas preguntas cuando eras un niño pequeño, y aún las formulas.

Cuando llegas a saber que eres plena e incondicionalmente amado, también llegas a saber que no debes temer la muerte. El amor es más fuerte que la muerte; el amor de Dios estaba allí antes de que nacieras y estará allí para ti después de tu muerte.

Jesús te ha convocado desde el momento en que fuiste concebido en el seno de tu madre. Es tu vocación dar y recibir amor. Pero, desde el comienzo mismo, has sentido las fuerzas de la muerte. Te atacaron durante todos tus años de crecimiento. Has sido fiel a tu vocación, si bien a menudo te sentiste agobiado por la oscuridad. Ahora sabes que esas fuerzas oscuras no tendrán poder final sobre ti. Parecen agobiantes, pero la victoria ya está lograda. Es la victoria de Jesús, que te ha convocado. Venció por ti el poder de la muerte para que pudieras vivir en libertad.

Tienes que defender esa victoria y no vivir como si la muerte todavía tuviera el control sobre ti. Tu alma sabe sobre la victoria, pero tu mente y tus emociones no lo han aceptado del todo. Siguen luchando. En este aspecto, sigues siendo una persona de poca fe. Confía en la victoria y deja que tu mente y tus emociones, en forma gradual, se conviertan a la verdad. Experimentarás nueva dicha y nueva paz cuando dejes que esa verdad alcance a cada parte de tu ser. No olvides que la victoria se ha conseguido, que ya no rigen los poderes de la oscuridad y que el amor es más fuerte que la muerte.

Enfrenta al enemigo

A medida que ves más claramente que tu vocación es ser testigo del amor de Dios en este mundo, y a medida que te decides más a vivir de acuerdo con esa vocación, los ataques del enemigo se incrementarán. Escucharás decir: "Careces de valor, no tienes nada que ofrecer, no eres atractivo, ni deseable, ni amable." Cuanto más sientas el llamado de Dios, más descubrirás en tu propia alma la batalla cósmica entre Dios y el Diablo. No temas. Sigue fortaleciendo tu convicción de que el amor de Dios es suficiente para ti, de que estás en buenas manos, y de que se te está guiando en cada paso del camino. No te sorprendas por los ataques demoníacos. Se incrementarán pero, al enfrentarlos sin

temor, descubrirás que no tienen poder.

Lo importante es seguir aferrado al
amor auténtico, duradero e inequívo-
co de Jesús. Cuando dudes de ese
amor, regresa a tu morada espiritual y
escucha allí la voz del amor. Únicamente cuando sabes en lo más íntimo
de tu ser que eres profundamente
amado, puedes enfrentar las oscuras
voces del enemigo sin ser seducido
por ellas.

El amor de Jesús te aportará una visión aun más clara de tu llamado, así
como de los muchos intentos por
apartarte de ese camino. Cuanto más
se te demande hablar por el amor de
Dios, más necesitarás profundizar el
conocimiento de ese amor en tu propio corazón. Cuanto más lejos te lleve
ese viaje hacia afuera, más profundo
debe ser el viaje hacia adentro. Sólo
cuando tus raíces son profundas, tus

frutos pueden ser abundantes. El enemigo está allí, esperando destruirte, pero puedes enfrentarla sin temor cuando sabes que te mantienes a salvo en el amor de Jesús.

Sigue buscando la comunión

Un deseo de comunión ha sido parte de ti desde que naciste. El dolor de la separación, que experimentaste cuando niño y que sigues experimentando ahora, te revela este profundo apetito. Toda tu vida has buscado una comunión que venciera tu temor a la muerte. Este deseo es sincero. No lo veas como una expresión de tu necesidad ni como un síntoma de tu neurosis. Proviene de Dios y es parte de tu verdadera vocación.

Sin embargo, tu temor al abandono y al rechazo es tan intenso que tu búsqueda de comunión, a menudo, es sustituida por un anhelo de expresiones concretas de amistad o afecto. Quieres una profunda comunión, pero terminas buscando invitaciones, cartas, llamados telefónicos, regalos y gestos similares. Cuando éstos no se producen de la manera en que deseas, comienzas a desconfiar aun de tu profundo deseo de comunión. Tu búsqueda de comunión, a menudo, tiene lugar demasiado lejos de donde se puede encontrar la verdadera comunión.

Aun así, la comunión es tu auténtico deseo, y te será dada. Pero tienes que atreverte a dejar de buscar regalos y favores como un niño petulante, y confiar en que tu deseo más profundo se cumplirá. Anímate a perder tu vida y la hallarás. Confía en las palabras de Jesús: "Nadie que haya dejado casa, hermanos, hermanas, madre, padre, hijos o hacienda por mí y por el Evangelio, quedará sin recibir el ciento por uno: ahora al presente, casas, hermanos, hermanas, madres, hijos y hacienda, con persecuciones; y en el mundo venidero, vida eterna" (Mc 10, 29-30).

Separa los falsos dolores
del verdadero dolor

Hay verdadero dolor en tu corazón, un dolor que realmente te pertenece. Ahora sabes que no puedes evitarlo, ignorarlo ni reprimirlo. Es este dolor el que te revela cómo se te convoca a vivir en solidaridad con la quebrada raza humana.

Debes distinguir con cuidado, sin embargo, entre tu dolor y los dolores que se han adherido a él pero que no son verdaderamente tuyos. Cuando te sientes rechazado, cuando te consideras un fracaso y un inadaptado, debes tener cuidado de no dejar que estas sensaciones y pensamientos perforen tu corazón. No eres un fracaso ni un inadaptado. Por lo tanto, tienes que desconocer estos dolores como falsos.

Pueden paralizarte y evitar que ames del modo en que eres convocado a amar.

Es un esfuerzo seguir distinguiendo el verdadero dolor de los falsos dolores. Pero, en la medida en que persistas en ese esfuerzo, verás cada vez más claramente tu singular vocación de amor. A medida que veas esta vocación, serás cada vez más capaz de defender tu verdadero dolor como tu camino singular hacia la gloria.

Repite a menudo:
"Señor, ten piedad"

Te preguntas qué hacer cuando te sientes atacado por todos los flancos por fuerzas aparentemente irresistibles, olas que te cubren y que quieren hacerte perder pie. A veces, estas olas consisten en sentirse rechazado, sentirse olvidado, sentirse no comprendido. A veces, consisten en ira, resentimiento, o hasta deseo de venganza, y a veces, en una autocompasión y autorrechazo. Estas olas te hacen sentir como un niño indefenso abandonado por sus padres.

¿Qué debes hacer? Toma la decisión consciente de alejar la atención de tu ansioso corazón de estas olas y dirigirlo hacia quien camina por encima de ellas y dice: "Soy yo; no temas"

(Mt 14, 27; Mc 6, 50; Jn 6, 20). Sigue volviendo tu mirada hacia Él y confiando en que Él traerá la paz a tu corazón. Mira hacia Él y di: "Señor, ten piedad." Repítelo una y otra vez, no en forma ansiosa sino con confianza en que está muy cerca de ti y dará descanso a tu alma.

*Deja que Dios hable
a través de ti*

Una y otra vez te enfrentas a la opción de dejar hablar a Dios o dejar que tu parte herida lance alaridos. Si bien tiene que haber un lugar en el cual puedas permitir que tu parte herida reciba la atención que necesita, tu vocación es hablar desde el lugar en que reside Dios.

Cuando dejas que tu parte herida se exprese bajo la forma de apologías, discusiones o quejas (a través de las cuales no se la puede escuchar verdaderamente), sólo te sentirás cada vez más frustrado y rechazado. Defiende a Dios en tu interior y deja que Dios pronuncie palabras de perdón, de sanación y de reconciliación, palabras que llamen a la obediencia, al compromiso radical y al servicio.

La gente constantemente tratará de golpear tu parte herida. Señalarán tus necesidades, tus defectos de carácter, tus limitaciones y tus pecados. Así es como intentan desechar lo que Dios, a través de ti, les dice. Tu tentación, que surge de tu gran inseguridad y de tu vacilación, es comenzar a creer en la definición que ellos dan de ti. Pero Dios te ha convocado para dirigir la Palabra al mundo y para pronunciarla sin temor. Al reconocer tus heridas, no dejes que se te aleje de la verdad que reside en ti y que debe ser dicha.

Demandará mucho tiempo y paciencia distinguir entre la voz de tu parte herida y la voz de Dios pero, a medida que te tornas más y más leal a tu vocación, se vuelve más fácil. No desesperes; te estás preparando para una misión que será ardua pero muy provechosa.

Sabe que eres bienvenido

No ser bienvenido es tu temor más grande. Se relaciona con tu miedo del nacimiento, tu temor de no ser bienvenido en esta vida, y tu temor de la muerte, tu temor de no ser bienvenido en la vida que sigue a ésta. Es el temor profundamente arraigado de que hubiera sido mejor no haber vivido.

Aquí estás frente al centro de la batalla espiritual. ¿Te vas a entregar a las fuerzas de la oscuridad, que dicen que no eres bienvenido en esta vida, o puedes confiar en la voz de Aquel que vino no para condenarte sino para liberarte del miedo? Tienes que optar por la vida. En cada momento, debes decidir confiar en la voz que dice: *Te amo*. "Me has tejido en el vientre de mi madre" (Sal 139, 13).

Todo lo que te dice Jesús se puede sintetizar en estas palabras: "Sabe que eres bienvenido." Jesús te ofrece su propia vida más íntima con el Padre. Quiere que sepas todo lo que Él sabe y que hagas todo lo que Él hace. Quiere que su hogar sea el tuyo. Sí, quiere hacerte un lugar en la casa de su Padre.

Siempre recuérdate que tus sensaciones de no ser bienvenido no provienen de Dios y no son ciertas. El Príncipe de la oscuridad quiere que creas que tu vida es un error y que no hay lugar para ti. Pero, cada vez que dejas que estos pensamientos te afecten, estás en el camino de la autodestrucción. Entonces, tienes que seguir develando el engaño y pensar, hablar y actuar de acuerdo con la verdad de que eres muy bienvenido.

Deja que **tu** *dolor*
se transforme en **el** *dolor*

Tu dolor, profundo como es, se relaciona con circunstancias específicas. No sufres en abstracto. Sufres porque alguien te hiere en un momento particular y en un lugar particular. Tus sentimientos de rechazo, de abandono y de inutilidad están arraigados en acontecimientos de lo más concretos. De este modo, todo sufrimiento es único. Esto es eminentemente cierto respecto del sufrimiento de Jesús. Sus discípulos lo abandonaron, Pilato lo condenó, los soldados romanos lo torturaron y lo crucificaron.

Sin embargo, mientras sigas apuntando a lo específico, se te escapará el pleno significado de tu dolor. Te engañarás al creer que, si la gente, las circunstancias y los acontecimientos hubieran sido diferentes, tu dolor no existiría. Esto puede ser parcialmente cierto, pero la verdad más profunda es que la situación que produjo tu dolor no fue nada más que la forma en la cual entraste en contacto con la condición humana del sufrimiento. Tu dolor es el modo concreto en que participas del dolor de la humanidad.

Paradójicamente, por lo tanto, sanarse implica un pasaje de *tu* dolor hacia *el* dolor. Cuando sigues acentuando las circunstancias específicas de tu dolor, te puedes enojar con facilidad o volverte resentido y hasta vengativo. Tiendes a hacer algo respeto de lo externo de tu dolor para aliviarlo; esto explica por qué a menudo buscas venganza. Pero la verdadera sanación proviene del descubrimiento de que tu dolor particular es parte del dolor de la humanidad. Este descubrimiento te permite perdonar a tus enemigos y acceder a una vida verdaderamente misericordiosa. Éste es el camino de Jesús, que rezó en la cruz: "Padre, perdónalos, porque no saben lo que hacen" (Lc 23, 34). El sufrimiento de Jesús, concreto como era, era el sufrimiento de toda la humanidad. *Su* dolor era *el* dolor.

Cada vez que puedes desviar tu atención de la situación externa que produjo tu dolor y apuntar al dolor de la humanidad del cual participas, tu sufrimiento se torna más fácil de soportar. Se transforma en una "carga liviana" y en un "yugo ligero" (Mt 11, 30). Una vez que descubres que se te convoca a vivir en solidaridad con los que pasan hambre, los que no tienen casa, los prisioneros, los refugiados, los enfermos y los agonizantes, tu dolor personal mismo empieza a transformarse en *el* dolor, y encuentras nueva fuerza para superarlo. Aquí reside la esperanza de todos los cristianos.

Entrégale tu agenda a Dios

Estás muy preocupado por tomar las decisiones correctas respecto de tu trabajo. Tienes tantas opciones que estás constantemente agobiado por la pregunta: "¿Qué debo hacer y qué no?" Se te pide que respondas a muchas necesidades concretas. Hay gente que visitar, gente que recibir, gente con la que simplemente estar. Hay temas que piden atención, libros que parece importante leer, y obras de arte para ver. Pero ¿qué de todo esto verdaderamente merece tu tiempo?

Empieza por no permitir que estas personas y estos temas se adueñen de ti. Mientras pienses que los necesitas para ser tú mismo, no eres verdaderamente libre. Gran parte de su urgencia proviene de su propia necesidad de ser aceptados y reconocidos. Debes seguir volviendo a la fuente: el amor de Dios por ti.

En muchas maneras, aún quieres organizar tu propia agenda. Actúas como si tuvieras que elegir entre muchas cosas, todas las cuales parecen igualmente importantes. Pero no te has entregado por completo a la guía de Dios. Sigues luchando con Dios por ver quién tiene el control.

Trata de dejar tu agenda en manos de Dios. Di continuamente: "Hágase tu voluntad, no la mía." Entrega a Dios cada parte de tu corazón y de tu tiempo y deja que Él te diga cuándo y cómo responder. Dios no quiere destruirte. El agotamiento, la extinción y la depresión no son señales de que estás haciendo la voluntad de Dios. Dios es amable y gentil. Desea darte una profunda sensación de seguridad en su amor. Una vez que te hayas permitido sentir plenamente ese amor, serás más capaz de discernir quién se te envía en nombre de Dios.

No es fácil entregarle a Dios tu agenda. Pero, cuanto más lo haces, más se transforma el "tiempo del reloj" en "tiempo de Dios", y el tiempo de Dios es siempre la plenitud del tiempo.

Deja que los demás te ayuden a morir

Tienes mucho miedo de morir solo. Tus recuerdos profundamente secretos de un nacimiento aterrador te hacen sospechar que tu muerte será igual de aterradora. Quieres estar seguro de que no te aferrarás a tu existencia presente, sino que tendrás la libertad interior para liberarte y confiar en que algo nuevo te será dado. Sabes que únicamente alguien que verdaderamente te ame puede ayudarte a unir esta vida con la que le sigue.

Pero es posible que la muerte que temes no sea sólo la muerte al final de tu vida presente. Es posible que la muerte al final de tu vida no sea tan aterradora si ahora puedes morir bien. Sí, la muerte real (el pasaje del tiempo a la eternidad, de la belleza transitoria de este mundo a la belleza eterna del próximo, de la oscuridad a la luz) tiene que cumplirse ahora. Y no debes hacerlo solo.

Dios ha enviado gente para que esté muy cerca de ti a medida que te liberas gradualmente del mundo que te mantiene cautivo. Debes confiar plenamente en el amor de estas personas. Así, nunca te sentirás del todo solo. A pesar de que nadie lo pueda hacer por ti, puedes hacer este pasaje solitario sabiendo que estás rodeado de un amor seguro y que quienes dejan que te alejes de ellos estarán allí para darte la bienvenida del otro lado. Cuanto más confíes en el amor de aquellos que Dios te ha enviado, más capaz serás de perder tu vida y de ganarla.

Ni el éxito, ni la notoriedad, ni el afecto, ni los planes futuros, ni el entretenimiento, ni el trabajo satisfactorio, ni la estimulación intelectual, ni el apoyo emocional (ni siquiera el progreso espiritual), son factores a los cuales puedas aferrarte como si fueran esenciales para sobrevivir. Sólo cuando te liberas de ellos puedes descubrir la verdadera libertad que tu corazón más desea. Eso es morir: entrar a la vida más allá de la vida. Debes tomar ese pasaje ahora, no sólo al final de tu vida terrenal. No puedes hacerlo solo, pero con el amor de quienes te están siendo enviados puedes entregar tu dolor y dejarte conducir hacia la tierra nueva.

Sobrevive a tus heridas

Te han herido de muchas formas. Cuanto más te abras a la sanación, más descubrirás cuán profundas son tus heridas. Estarás tentado de desanimarte, pues debajo de cada herida que destapas encuentras otras. Tu búsqueda de la verdadera sanación será una búsqueda dolorosa. Será necesario derramar muchas lágrimas.

Pero no temas. El simple hecho de que estés más consciente de tus heridas demuestra que tienes la fuerza suficiente para enfrentarlas.

El gran desafío es *sobrevivir* a tus heridas en lugar de *pensar* en ellas. Es mejor llorar que preocuparse, es mejor sentir profundamente tus heridas que comprenderlas, es mejor dejarlas entrar en tu silencio que hablar de ellas. La opción que enfrentas constantemente es si llevar tus heridas a la cabeza o al corazón. En tu cabeza, puedes analizarlas, hallar sus causas y consecuencias, y contar las palabras que dirás o escribirás sobre ellas. Pero no es probable que de esta manera se llegue a una curación. Necesitas dejar que tus heridas penetren en tu corazón. Entonces, podrás sobrevivir a ellas y descubrir que no te destruirán. Tu corazón es más grande que tus heridas.

Comprender tus heridas sólo puede ser terapéutico cuando esa comprensión está al servicio de tu corazón. No es fácil llegar al corazón con tus heridas: exige liberarse de muchas cuestiones. Te preguntas: "¿Por qué me lastimé? ¿Cuándo? ¿Cómo? ¿Quién lo hizo?" Crees que las respuestas a estas preguntas te aliviarán. Pero, cuanto mucho, sólo te ofrecerán una pequeña distancia respecto de tu dolor. Tienes que liberarte de la necesidad de seguir controlando tu dolor y confiar en el poder terapéutico de tu corazón. Allí, tus heridas pueden encontrar un lugar seguro donde se las reciba y, una vez que se las recibe, pierden su facultad de infligir daños y se transforman en suelo fértil para una nueva vida.

Piensa en cada herida como pensarías en un niño que ha sido lastimado por un amigo. Mientras el niño esté despotricando y desvariando, intentando volverse contra el amigo, una herida lleva hacia otra. Pero, cuando el chico siente el abrazo de consuelo de uno de sus padres, puede sobrevivir al dolor, volverse hacia el amigo, perdonarlo y construir una nueva relación. Sé amable contigo mismo, y deja que tu corazón sea de tu amoroso padre mientras sobrevives a tus heridas.

Por ahora, esconde tu tesoro

Has encontrado un tesoro: el tesoro del amor de Dios. Ahora sabes dónde está, pero aún no estás preparado para adueñarte de él por completo. Muchos apegos te siguen alejando. Si quieres poseer del todo a tu tesoro, debes ocultarlo en el campo en que lo encontraste, salir alegremente a vender todos tus bienes, para después volver y comprar ese campo.

Puedes estar verdaderamente feliz por haber encontrado el tesoro. Pero no deberías ser tan ingenuo como para pensar que ya lo posees. Sólo cuando te hayas desprendido de todo lo demás, el tesoro podrá ser plenamente tuyo. Haber encontrado el tesoro te coloca ante una nueva exigencia para tenerlo. La vida espiritual es una larga y, a menudo, ardua búsqueda de lo que ya has encontrado. Sólo puedes buscar a Dios cuando ya lo has encontrado. El deseo del amor incondicional de Dios es el producto de haber sido tocado por ese amor.

Como encontrar el tesoro no es más que el principio de la búsqueda, tienes que tener cuidado. Si expones el tesoro ante los demás sin poseerlo por completo, puedes perjudicarte y hasta perder el tesoro. Un nuevo amor necesita que se lo alimente en un espacio íntimo y tranquilo. La sobreexposición termina con él. Por eso, debes esconder el tesoro y utilizar tu energía en vender tus propiedades para poder comprar el campo donde lo has escondido.

A menudo, ésta es una tarea dolorosa, porque la sensación de quién eres está muy íntimamente conectada a todas las cosas que posees: éxito, amigos, prestigio, dinero, diplomas, etc. Pero sabes que sólo el tesoro mismo podrá satisfacerte verdaderamente. Encontrar el tesoro sin estar preparado aún para adueñarse por completo de él te causará desasosiego. Es el desasosiego de la búsqueda de Dios. Es el camino hacia la santidad. Es la ruta hacia el Reino. Es el trayecto hacia el lugar en que puedas descansar.

Sigue eligiendo a Dios

Estás permanentemente frente a alternativas. La cuestión es si optas por Dios o por tu propio ser indeciso. Sabes cuál es la opción correcta, pero tus emociones, pasiones y sentimientos te sugieren permanentemente que optes por la vía del autorrechazo.

La opción radical es confiar en que, en todo momento, Dios estará contigo y te dará lo que más necesites. Tus emociones de autorrechazo pueden decir: "No va a funcionar. Aún siento la misma angustia que sentía hace seis meses. Probablemente vuelva a caer en los viejos patrones depresivos de acción y reacción. No he cambiado de verdad." Y así sucesivamente. Es difícil no escuchar estas voces. Aun así, sabes que estas palabras no representan la voz de Dios. Dios te dice: "Te amo, estoy contigo, quiero verte acercarte a mí y experimentar la dicha y la paz de mi presencia. Quiero darte un nuevo corazón y un nuevo espíritu. Quiero hablar con mi boca, ver con mis ojos, escuchar con mis oídos, tocar con mis manos. Todo lo mío es tuyo. Sólo confía en mí y déjame ser tu Dios."

Ésta es la voz que tienes que escuchar. Y esta escucha requiere una verdadera elección, no una para un rato, sino para todo momento del día y de la noche. Eres tú quien decide qué pensar, decir y hacer. Puedes pensar tú mismo en una depresión, puedes hablar tú mismo de una baja autoestima, puedes actuar mostrando autorrechazo. Pero siempre tienes una posibilidad de pensar, hablar y actuar en nombre de Dios, a fin de avanzar hacia la Luz, la Verdad y la Vida.

Al concluir este período de renovación espiritual, una vez más te enfrentas a una decisión. Puedes optar por recordar este momento como un intento fallido de renacer por completo, o puedes optar por recordarlo como el muy valioso momento en que Dios comenzó a hacer cosas nuevas en ti que deben ser completadas. Tu futuro depende del modo en que decidas recordar tu pasado. Opta por la verdad de lo que sabes. No dejes que tus emociones, aún ansiosas, te distraigan. Mientras sigas eligiendo a Dios, tus emociones cesarán gradualmente en su oposición y se convertirán a la verdad en ti.

Estás enfrentando una verdadera batalla espiritual. Pero no temas. No estás solo. Quienes te han guiado durante este período no te van a dejar. Sus plegarias y su apoyo estarán contigo dondequiera que vayas. Consérvalos cerca de tu corazón para que puedan guiarte a medida que vas tomando decisiones.

Recuerda que estás a salvo. Eres amado. Estás protegido. Estás en comunión con Dios y con quienes te han sido enviados por Dios. Lo que es de Dios ha de perdurar. Pertenece a la vida eterna. Opta por eso, y será tuya.

Conclusión

Hoy, el período en que escribí estos imperativos espirituales parece muy alejado en el tiempo. Leerlos ahora, ocho años más tarde, me hace tomar conciencia de los cambios radicales que sufrí. Avancé hacia la liberación a través de la angustia, hacia la paz a través de la depresión, hacia la esperanza a través de la desesperanza. Para mí fue, con certeza, un período de purificación. Mi corazón, siempre cuestionando mi bondad, mi valor, mi mérito, quedó anclado en un amor más profundo y, por lo tanto, menos dependiente de las alabanzas y las culpas de quienes me rodean. También adquirí una mayor capacidad de dar amor sin esperar siempre amor a cambio.

Nada de esto sucedió de repente. En verdad, las semanas y los meses que siguieron a mi exilio autoimpuesto fueron tan difíciles que al principio me preguntaba si había cambiado algo. Anduve de puntillas por mi comunidad, siempre con temor de volver a caer en las antiguas trampas emocionales. Pero, en forma gradual y apenas perceptible, descubrí que ya no era la persona que había abandonado la comunidad en estado de desesperación. Descubrí esto no tanto en mí mismo, sino en aquellos que, en vez de sentirse incómodos por lo que yo había pasado, me brindaron su confianza y me tuvieron fe. Sobre todo, encontré confianza en mí mismo a través de la gradual renovación de la amistad que había disparado mi angustia. Nunca me atreví a creer que esta relación que se rompió pudiera recuperarse. Pero seguí defendiendo la verdad de mi libertad como hijo de Dios, dotado de abundante amor. Mis necesidades obsesivas se desvanecieron y se posibilitó una verdadera reciprocidad.

Esto no significa que ya no haya tensiones y conflictos, ni que·los momentos de desolación, de miedo, de ira, de celos o de resentimiento estén totalmente ausentes. Casi no existe día sin alguna nube oscura. ¡Pero ahora las reconozco como lo que son, sin meter la cabeza en ellas!

También aprendí a atrapar pronto la tristeza, para evitar que ésta se transforme en depresión o que deje que la sensación de ser rechazado avance hacia un sentimiento de abandono. Hasta en la amistad renovada y profundizada, siento la libertad de señalar las pequeñas nubes y de pedir ayuda para dejarlas pasar.

Lo que en algún momento parecía una maldición se ha vuelto una bendición. Toda la agonía que amenazaba con destruir mi vida aparece ahora como la tierra fértil para una fe mayor, una esperanza más fuerte y un amor más profundo.

Ya no soy un hombre joven. Sin embargo, tal vez me queden algunos años por vivir. ¿Podré vivirlos con gracia y dicha, y seguir sacando provecho de lo que aprendí en mi exilio? Ciertamente, así lo espero. Durante mis meses de angustia, a menudo me preguntaba si Dios es real o es sólo un producto de mi imaginación. Ahora sé que, cuando me sentía completamente abandonado, Dios no me dejó solo. Muchos amigos y miembros de mi familia murieron en los últimos ocho años, y mi propia muerte no está demasiado lejos. Pero he oído la voz interior del amor más profunda y más

fuerte que nunca. Quiero seguir con-
fiando en esa voz y dejarme conducir
por ella más allá de los límites de mi
corta vida, hacia donde Dios es todo
en todos.

COLECCIÓN LUMEN BOLSILLO

Se terminó de imprimir en el mes de septiembre de 2000
en el Establecimiento Gráfico **LIBRIS S. R. L.**
MENDOZA 1523 • (B1824FJI) LANÚS OESTE
BUENOS AIRES • REPÚBLICA ARGENTINA